어느 3평 공부방의 힘

어느 3평 공부방의 힘

발행	2024년 04월 29일
저자	박유진
디자인	어비, 미드저니
편집	어비
펴낸이	송태민
펴낸곳	열린 인공지능
출판사등록	2023.03.09(제2023-16호)
주소	서울특별시 영등포구 영등포로 112
전화	(0505)044-0088
E-mail	book@uhbee.net

ISBN   979-11-94006-15-2

www.OpenAIBooks.shop

어느 3평 공부방의 힘

박유진 지음

열린 인공지능

목차

머리말

　먹고 살기 위해 시작한 공부방이었습니다. 과일이 먹고 싶다는 아이에게 마음껏 과일을 먹이고 싶은 마음과 부모님께 금액 걱정 없이 용돈을 드리고 싶은 마음과 몸을 다쳐도 일해야만 하는 남편의 짐을 덜어주고 싶다는 마음으로 시작한 공부방이었습니다

　그런 공부방이 오히려 저를 키우고 있었습니다. 아이들로부터 제가 더 많이 배우며 성장하고 있었습니다. 3평의 작은방 한 칸이 저에겐 우주가 되고 회사가 되고 놀이터가 되기도 합니다.
　누군가에게는 힘이 되는 이야기가 되고 인생의 새로운 기회를 갖게 하는 책일 수도 있습니다. 하지만 그걸 손에 쥐게 하는 것은 책이 아니라 나의 결심과 실행입니다.

"아무것도 하지 않으면 아무 일도 일어나지 않는다"

이제 몸은 가만히 있고 머릿속만 바쁜 순간을 벗어나 내 인생의 주인공으로 원하는 삶을 즐겁게 살아보시면 어떨까요?

많은 분들이 궁금해하시던 3평의 작은 공부방의 비밀.

지금부터 천천히 풀어가 보겠습니다!

함께 가시죠!

　저자 박유진은 수능 이후 20여 년이 지난 지금까지 꾸준하게 학생들에게 수학을 가르치고 있으며 방 한 칸에서 공부방을 시작한 지는 6년 차입니다. 공부방을 운영하면서 경험한 일과 그동안의 티칭 경력을 바탕으로 수업 외에 공부방 창업을 원하는 사람들에게 컨설팅을 제공하고 있습니다. 한 번의 컨설팅으로 끝나지 않고 함께 공부방 창업을 함께 단계적으로 진행하는 공방 캠프 (창업 챌린지) 과정도 운영하고 있습니다. 공부방이 단순히 문제집만 풀다가 오는 곳이라는 편견을 깨고 다양한 수업방식과 자체 교재도 함께 사용하며 학생과 학부모의 니즈를 충족시켜주는 수업을 이어오고 있습니다.

| WHY

안녕하세요. "유진하다" 라는 닉네임으로 온라인에서 활동 중인 24년차 수학강사 박유진이라고 합니다. 저는 수능이 끝난 후 같은 동네 아이의 과외를 시작으로 20년을 넘게 개인 과외와 수학 강사의 인생을 살아왔습니다. 출산 후에 친정 아빠와 함께 벽돌을 팔며 공부방을 동시에 운영해왔습니다. 공부방을 하면서도 코로나로 쉬는 날이 늘어 가고 설상가상으로 남편이 일하다가 다쳐서 1년 가까이 일을 놓으면서 뭔가를 더 해야겠다는 생각을 했습니다. 그렇게 열심히 배운 로고 디자인 기술 덕분에 로고, 명함, 굿즈, 홍보물 제작도 하고 있으며 상세페이지 제작, 아이패드 드로잉으로 서평과 전단지 제작도 가능하게 되었습니다.

워드프레스 홈페이지 제작과 최적 3단계의 블로그로 관리대행일도 하고 있습니다. 새로운 기술들을 배우면서 다양한 파이프라인을 만드는 일에 몰두하게 되었지만 그 과정에서 오히려 제가 오래 해왔던 일을 더 잘해보자는 생각이 들었어요. 새로운 자극이 제 본업에 더 큰 힘을 실어주게 된 것이었죠. 그래서 아이들을 위한 더 좋은 교육 방식에 대한 고민을 하게 되고 경제적 갈망을 갖고 계신 분들께 도움이 되고자 이 책을 쓰게 되었습니다.

제가 공부방을 운영해오면서 이것이 누군가에게 도움이 되고 누군가가 궁금해할 만한 일이 아니라고 생각했어요. 가까운 지인들에게는 권하는 일이기도 하고 실제로 창업에 도움을 드린 적도 있지만 너무나 평범한 일이라는 생각에 구체적으로 이 일을 발전시킬 생각을 하지 못했습니다. 하지만 블로그에 공부방을 조금씩 소개하면서 저에게 질문을 주시는 분들을 보며 제 생각 이 틀렸다는 걸 알았죠. 저는 다른 사람의 도움을 받지 않고 물어볼 곳도 없이 맨바닥부터 시작했습니다.

마케팅이라는 단어는 전문가들만 쓰는 거라고 생각했고 홍보의 치트키 같은 것도 없었습니다. 실수도 하고 상처도 수없이 받으면서 나름 단단해지고 노련함도 갖추게 되었습니다. 그 과정에서 느끼고 배운 것들을 진솔하게 보여드리겠습니다. 앞으로 소개해 드릴 창업 과정이나 운영 방식도 이미 다른 분들이 하고 있는 부분과 크게 다르지 않다고 생각하지만 아주 작은 부분이라도 여러분의 도전과 실행에 도움이 된다면 좋겠습니다.

누구나 할 수 있지만
누구나 할 수 없는 것

PART 1

생각하는 대로 살지 않으면
결국에는
사는대로 생각하게 된다

폴 부르제

이미 늦었을까?
두려움을 넘어서!

　　20년 이상의 과외와 수학 강사 경력. 짧게 경험했던 회사 일을 제외하고 제 사회생활의 90%는 아이들을 가르치는 일이었습니다. 그 길이 당연하고 유일한 것이라 생각했고 의구심조차 가져보지 않았죠. 그러다가 친정집을 따라 지방으로 함께 이사를 했고 새로운 지역인 탓에 그동안 했던 일이 아닌 가족 사업인 건축 자재 판매를 시작하게 되었습니다. 늘 같은 일만 하다가 몸을 움직여 피곤하게 하루를 보내고 쓰러져 잠드는 일상이 새롭고 좋았어요. 가족들이 함께 보내는 시간이 많다는 것도 좋았고요.

　　하지만 건축은 경제 분위기에 영향을 많이 받는 분야 중 하나인데
다가 저렴한 자재들이 많이 수입되면서 판매가 부진해졌습니다. 온

가족이 하나의 일에 매달리고 있다 보니 불안함은 더 커지게 되었죠. 특히나 추워지면 집을 짓지 않으니 한 겨울에는 겨울잠을 자도 될 정도로 일이 없었습니다. 그렇다면 나라도 다른 문을 열어 봐야겠다고 생각하고 고민을 시작했습니다. 취미로 하던 가죽공예가 있었는데 가죽 공방을 열어볼까 생각도 해보고 아르바이트를 해볼까도 생각했었지만 어린 둘째가 걱정이 되었습니다. 게다가 2-3시간의 아르바이트가 가계에 큰 보탬이 될 것 같다는 생각도 들지 않았습니다.

몇 안 되는 제 사진 중에 가장 많은 사진이 아마 일하다가 찍은 발의 사진일꺼예요. 저 장갑을 무척이나 오랫동안 끼고 한겨울에는 손가락도 얼고 발가락도 얼고 그 기운에 슬펐다가 속상하다가 그럼에도 불구하고 또다시 힘을 내기를 반복하며 살았습니다.

모든 엄마와 K 장녀의 삶이 그러한 줄만 알았거든요.

"이렇게 버티다 보면 분명히 좋은 날이 올 거야!" 새벽마다 거울 속의 나에게 이야기하며 하루를 꾸역꾸역 버텨냈습니다. 내 능력이 부족해서 이렇게 몸이 고생하는 것이니 당연한 거라고 생각했습니다. 노력이 부족한 스스로를 무척이나 한탄하면서 말이에요.

그래도 저에게 아주 큰 단점이자 장점이 바로 긍정이었기에 감사한 점을 매일 찾아냈습니다. 매일 보는 부모님을 통해 성실함과 부지런함이 결국은 좋은 사람과 행복을 만든다는 걸 배웠어요. 제 나이에 이렇게 부모님과 오래 시간을 보내고 자주 보는 사람도 드물걸요? 저는 아주 행복한 사람입니다!

이렇게 느끼고 나면 기분이 좋아져서 못할 일이 없을 것처럼 에너지가 넘쳐나곤 했어요.

더 나은 삶을 위한 희망, 그 시작점

무언가 변화를 줘야 한다는 걸 느끼기 시작했습니다. 하지만 아직 명백한 그림이 그려지질 않았어요. 도대체 무엇을 해야 할지, 무엇을 잘할 수 있을지 말이에요.

첫째가 커가면서 하고 싶은 일이 많아지고 갖고 싶은 것, 먹고 싶은 것도 많아지니 부모의 경제적인 능력이 부족하다는 것이 참 힘들었습니다. 열심히 산다고 살았는데 그동안의 결과가 이렇다는 것이 참 속상했고 앞으로의 인생에도 희망이 느껴지지 않는다는 점에 힘이 쫙 빠지기도 했고요. 근데 그럴수록 제 경제적 욕구는 더욱 커져갔고 당장 잘할 수 있는 일이 무엇일까를 생각하다가 결국은 제가 제일 오래 해온 일 그래서 어렵지 않게 시작할 수 있는 '가르치는 일'로 결론을 냈습니다. 하지만 저는 생각한 것을 바로 실천하는 능력이 부족했고 여전히 몸은 가만히 있는데 머릿속으로만 일이 진행되고 있었습니다. 그마저도 불안감만 가득 들어있는 상태였어요.

- 막상 오픈을 해도 아이들을 모집할 수 있을까?
- 고등학생만 가르치던 내가 초등학생을 가르칠 수 있을까?
- 이게 맞는 걸까?

　머릿속으로만 수없이 공부방을 오픈하고 문을 닫고 폐업신고를 하는 과정만 그리고 있었습니다. 그런데 이런 생각을 내 평생 내내 하고 있었다는 걸 깨닫는 순간!

　"그래 일단 해보자. 안되면 그때 가서 다시 고민하자!"라는 용기가 생겼습니다. 그동안 늘 기회를 놓치고 후회했으니 시간이 많이 지나서는 나이가 많아서 또 안된다고 포기하고 후회할 제 모습이 그려지는 것이었습니다. 아마 이것이 가장 두려웠던 것 같아요. 스스로가 싫어지는 것!

삶에서 가장 중요한 것은
자기 자신이 마음에 들어야 하는 것이다.

@ogata_marito

도전의 첫걸음, 새로운 시작

그래서 가족들에게 선언을 했습니다. 작은방에서 공부방을 시작해 보겠다고 말입니다! 생판 모르는 사람들이 집을 드나들어야 한다는 것이 가장 큰 어려움이었으나 제 새로운 도전을 가족 모두가 이해해 주기로 의견을 모았죠. 그때부터는 일이 빠르게 진행되었습니다. 공부방의 책걸상은 중고사이트를 검색하고 가격비교를 해서 가장 싸게 내놓은 11세트를 모두 가져가는 조건으로 세트당 3만원에 구입했습니다. 11세트를 다 쓸 일은 없겠다 생각했지만 전부를 다 사 가는 조건의 금액이었기에 일단 전부를 가져왔습니다. 그것이 바로 제가 지난 전자책 제목에도 썼던 33만 원의 투자금이었습니다!

열심히 준비하는 저를 보던 남편은 복합기와 에어컨을 설치해 주며 저에게 투자하는 것이라며 격려금도 넣어 봉투에 응원 메시지까지 적어 주었습니다. 받은 월급의 대부분을 생활비로 주며 술과 담배도 하지 않는 남편이 모아서 마련해 준 것이라 더 고마웠고 기필코 잘 해내리라 다짐했어요!

이제 아이들을 모아야 했다.

    이제 아이들을 모아야 했습니다. 일단은 전단지를 돌려봐야겠다고 생각했는데 차별성이 없는 것 같아서 고민이 되었어요. 그때는 디자인도 전혀 모를 때라 무조건 돈을 주고 맡겨야 한다고 생각했고 돈도 없으니 더 고심했습니다. 그때가 더운 여름이어서 '그래 전단 부채를 제작하자'는 생각을 했어요. 전단지는 한번 보고 여기저기 버릴 것이 분명했고 부채는 그래도 들고 다닐 가능성이 크니 저절로 홍보가 되지 않을까 싶었습니다.

    200장을 만들었는데 이걸 학교 앞에서 나눠줄 엄두가 나지 않았습니다. 첫째 아이가 다니고 있는 학교라서 더 어려웠던 것도 같아요. 혹시라도 아이가 친구들에게 놀림이라도 받을까 걱정이었습니다. (정말 돌아보니 저는 걱정덩어리였네요) 그래서 부채를 컬러 복사를 하고 그 프린트물을 아파트 게시판에 일일이 붙이고 다녔습니다. 업체에 맡기면 가격이 비싼데 직접 붙이면 약 2만 원이면 가능했어요. 땀을 뻘뻘 흘리며 지하주차장까지 누비던 그때가 추억이 될 줄은 몰랐습니다. 그 당시에는 그게 눈물인지 땀인지도 모를 기분이었거든요. 새로 시작하는 일도 나는 이렇게 몸을 써야 하는구나 싶었어요.

전단에는 오픈 소식과 함께 2주간 무료수업을 하겠다고 게시했습니다. 1주일만 할까 생각했다가 지금이 아니면 이런 기회는 없을 거 같아서 정말 영혼을 갈아 넣을 생각으로 2주 무료 수업을 홍보했습니다. 일단 전단지를 붙이고 그다음부터는 기다림의 싸움이 시작되었습니다.

"연락이 안 오면 어떻게 하지?
아니다. 연락이 너무 많이 오면 어떻게 하지?"

어딜 가든지 휴대폰을 보물처럼 들고 다녔어요. 모르는 번호가 뜰 때마다 두근거리는 마음으로 목소리를 가다듬고 전화를 받았습니다.

그러다가 첫 연락이 온 그 순간을 잊을 수가 없어요.
기간 내에 총 8명에게 연락이 왔고 8월 중순에 수업이 시작되었습니다. 같은 학년이지만 일부러 다른 시간에 배치하여 최대한 1:1로 2주 동안 수업을 했는데 제 강사 경력 중에 그렇게 열심히 강의를 한 적이 있었나 싶을 정도로 열정과 정성을 다해 수업을 했습니다. 그렇게 2주의 시간이 힘겹게 지나고 9월부터 등록을 하시겠냐는 문자를 어머님들께 돌렸습니다. 결과는 짐작하시겠지만 8명의 아이들이 모두 등록함은 물론이고 그들의 친구 2명까지 합쳐 서 총 10명의 아이로 제 소중한 공부방이 시작되었습니다!

WHY
공부방인가

PART 2

가장 큰 영광은
한번도 실패하지 않음이 아니라
실패할 때마다 다시 일어서는 데에 있다

공자

공부방 vs 교습소 vs 학원 ‥
나만의 길 찾기

　우리가 알고 있는 교육 서비스는 대부분이 학원이지만 세부적으로는 공부방, 교습소, 학원으로 나누어집니다. 공부방은 별도의 시설 없이 교습자(선생님)의 주거지에서 수업이 진행되며 교습소는 학원이 아닌 별도의 시설에서 운영이 가능합니다. 우리가 제일 잘 알고 있는 형태의 학원은 30일 이상 교육할 수 있는 고정된 장소에서 10명 이상의 학습자(학생)에게 지식을 제공합니다. 제가 공부방을 선택한 이유는 첫째도 둘째도 자본 때문이었습니다. 고정적인 지출 없이 사업을 운영하는 것이 공부방의 가장 큰 장점이라 할 수 있습니다.

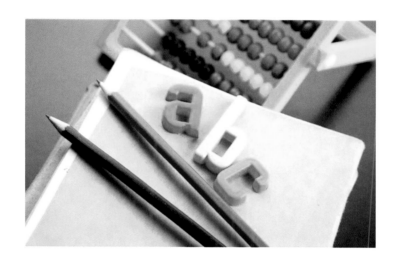

　교습소나 학원은 월세나 관리비, 인건비까지 생각하면 매출은 크지만 나가는 비용도 무시할 수 없겠더라고요. 매출이 적어도 온전히 수익이 될 수 있도록 하는 게 제가 프랜차이즈를 선택하지 않은 이유이니 당시에는 비용을 줄이는 게 가장 중요하다고 생각했습니다.

항목	학원	교습소	공부방
정의	30일 이상의 교습과정에 따라 교습과 학습장소를 제공	시설	개인
시설기준	각 지역 교육청 별 상이 예)서울70제곱미터이상, 경기60제곱미터이상등	학원이 아닌 시설	교습자의 주거지 오피스텔불가
강사채용	채용가능	채용불가 (출간, 질병의 임시가능)	채용불가
강사학력	전문대학 이상 학력	전문대학 이상 학력 (설립교습자 1과목만 가능)	고등학교 이상
학습자 인원제한	제한 없음	동시간대 9명 이하 (1제곱미터 0.3명 가능)	동시간대 9명이하
명칭	고유명칭+학원	고유명칭+과목+교습소	개인과외교습자

아무도 가르쳐 주지 않았던, 맨땅에 헤딩하기

공부방은 예전에도 누군가가 제게 추천해 준 일이기도 했어요. 그 당시엔 지금보다 어렸고 아이도 없었으며 마음만 먹으면 원하는 건 뭐든지 할 수 있다고 생각했습니다. 그래서 "공부방을 왜 해? 하려면 학원 원장을 해야지!"라면서 공부방은 뭔가 촌스러운 느낌이 들어서 하고 싶지 않았어요. 한창 어릴 때니 어디 가서 공부방 한다는 이야기를 하기에 창피하다고 느꼈던 것 같습니다. 게다가 저 또한 그 당시에는 공부방이란 그냥 아이들 문제집 풀어주는 곳이라고 생각했거든요. 하지만 제가 자식을 낳고 키우며 우리 아이를 믿고 맡긴다는 것이 어떤 의미인지를 자연스레 깨닫고 나니 나는 그런 공부방으로 만들지 않겠다는 다짐을 하게 되었어요!

  그래서 공부방을 시작하며 다짐한 것은 결코 아이들이 그냥 시간
을 때우다가 가는 곳으로 만들지 않고, 아이들마다 가진 각각의 능력
에 맞춰서 수업을 진행하겠다는 것이었습니다. 지금도 저는 모든 학
생의 교재와 진도가 모두 다릅니다. 자연스럽게 숙제도 모두 다르겠
죠? 개인 공부방의 장점이 바로 이런 것입니다.

프랜차이즈 공부방은 해당 월교재의 진도가 끝나야 다음 달의 교재를 또 배부할 수 있기 때문에 아이의 습득 능력에 상관없이 모두 같은 교재를 같은 월에 풉니다. 좀 더 수준 높은 문제를 풀고 싶다면 개인적으로 해결해야 합니다. 저에게 수업을 하러 오는 친구들의 절반 정도는 이 이유 때문입니다.

준비된 때는 오지 않는다. 바로 지금이다!

아마 여기까지 읽으시고 "오, 나도 할 수 있겠어!"라고 생각하시는 분과 "아 난 못하겠다. 번거롭고 어려울 것 같아"라고 생각하시는 분으로 나뉠 것 같아요.

하지만 지금 돌아봐도 제가 정말 스스로에게도 잘했다고 느낀 건 그냥 했다는 거예요. 기획과 마케팅. 저는 이런 부분과 아주 거리가 멀어요. 블로그를 하면서 주워들은 이야기는 많지만 그걸 완벽하게 이해하고 있지 못합니다. 그것까지 고민하면서 준비했다면 전 아직도 그냥 그 자리에 가만히 앉아서 머릿속만 바쁘게 움직이며 실패했을지도 모르니 안 하길 잘했다고 생각하고 있을 거예요.

얼마 전 읽은 '빠르게 실패하기'라는 책에서 실패의 힘을 느꼈습니다. 완벽하지 않은 상태여도 **빠르게** 실행하고 **빠르게** 실패하면서 계속 업그레이드해 나간다면 단계적인 성장은 당연하게 따라오는 것이라는 것을 느꼈습니다. 때로는 노력보다 더 많은 것을 얻고 싶은 욕심을 부리는 순간도 있어요. 순간적으로 지름길이 있지 않을까라는 마음에 자꾸 쉬운 길을 찾아보고 있더라고요. 그럴 때마다 "아이코 정신차리자"라고 이야기하곤 해요. 쉽게 얻어진 것들은 쉽게 잃기 마련이라는 것을 아는 나이가 되었네요.

PLUS

무학년
이해하

고통은 잠깐이다
포기는 영원히 남는다

랜스 암스트롱

PLUS 1. 무학년제 이해하기

공부방 운영을 준비하며 딱 하나 처음 접해본 것이 있다면 바로 "무학년제"라는 용어였습니다.

학년 구분이 없다고?

아이들마다 끝나는 시간과 학원 스케줄이 다르니 이 아이들을 같은 시간에 모아 같은 강의를 하는 강의식 수업은 불가능한 게 현실입니다. 그래서 같은 시간에 학년이 다른 아이들이 오는 것이죠. 1:1 과외와 학원 강사만 해오던 저에게 너무 충격적인 시스템이었습니다. 학년도 다르고 진도도 다르고 하물며 다른 교재라니!

일단 무료 강의로 모은 아이들을 최대한 분산시켜서 2명으로 시작해 보았습니다. 먼저 온 아이의 숙제를 받고 새로운 개념을 설명하고 관련 문제들을 풀 동안 다른 아이의 개념을 설명하며 숙제를 체크한다. 처음엔 그것조차 어색했었는데 금방 익숙해지더라고요.

불가능할 것만 같았던 무학년제 수업이었지만 그렇게 3명, 4명의 동시 수업도 가능해졌습니다. 대신 수업을 시작하고 끝날 때까지 쉬는 시간은 전혀 없이 운영합니다. 정시에 수업이 시작되는 것이 아니라 아이들이 오는 대로 수업이 시작되기 때문입니다.

PLUS

필수적인
서류절차

자신감은 전염된다
자신감의 부족도 마찬가지다

———————————————————

빈스 롬바르디

PLUS 2. 무학년제까지 이해하셨다면 다음 단계는?

공부방 창업에 필수적인 절차는 복잡하지 않습니다.
교육청 신고와 사업자등록까지만 하면 끝!

1. 교육청에 신고하기

공부방을 운영하려면 그 지역 관할 교육청에 신고를 해야 합니다. 신고를 하지 않고 운영하다 가 학파라치에게 신고당하거나 교육청에 적발 시 과태료가 상당하니 언제나 정해진 방침대로 운영하는 것이 가장 안전합니다.

- 교육지원청에 직접 방문해야 합니다.(인터넷 신청은 불가능합니다)
- 신분증 사본, 최종학력 증명서, 자격증(해당자만), 증명사진 2매를 제공합니다. 신청 수수료는 없습니다.
- 대학생은 교육청 신고의무가 없지만 소득신고는 해야 합니다.(휴학생은 제외)

2. 사업자등록증 발급하기

교육청 신고 필증을 가지고 사업 개시 20일 전에 사업자 등록을 해야 합니다. 온라인 신청도 가능한 부분입니다. 신고 필증이 있어야 면세사업자로 신고가 가능합니다. 소비자에게 현금영수증과 사업자

지출증빙 그리고 자진발급 처리를 할 수 있습니다. 물론 사업자등록을 하지 않고도 일정 매출 이하에서는 운영이 가능하지만 공부방도 사업이라는 인식을 가지고 절차에 맞게 운영하시는 걸 추천합니다. 공부방 창업에 필수 절차는 복잡하지 않습니다. 교육청 신고와 사업자등록까지 하면 끝이에요.

3. 교육청 실사

이건 누군가가 신고를 해서 불시에 나오는 점검이 있고 미리 방문한다고 약속을 잡은 후에 오는 실사도 있습니다.

저는 오픈하지 3-4개월 만에 불시점검을 받았지만 이대로만 운영하면 된다는 관계자의 인정을 받았어요.

매달 통장으로 입금되는 모든 금액을 영수증 처리하며 영수증이 필요 없다고 하시는 분들께는 자진발급 처리를 해드리고 있습니다.

그리고 공부방 현관에 의무적으로 부착해야 하는 것들이 있어요. 신고증과 공부방 원비 정보 등입니다. 안 보이는 곳에 대충 두는 공부방도 있는데 이런 걸 제대로 부착하지 않으면 이 또한 과태료 대상이 되니 주의해야 합니다.

- 그 밖에도 실제 거주지에서 해야 한다는 것입니다. (이건 월세를 얻어 따로 침구류만 구비해두고 거주지인 것처럼 하시는 분들도 많이 계십니다.)
- 가족 외에 다른 사람과 함께 할 수 없습니다. 예를 들어 남편은 영어를 가르치고 나는 수학을 가르치는 것이 가능하지만 가족

외의 사람은 고용할 수 없습니다. 단순 채점 업무도 불가능합니다.

● 차량 운행은 불법이에요. 다른 지역에서 일어난 일이지만 공부방 선생님의 친정어머님이 다른 학원차에서 내리는 아이를 데리고 들어오는 것을 다른 선생님이 신고하여 수백에 달하는 과태료를 내신 분도 계시다고 합니다. (이런 일은 보통 같은 분야의 사람들이 신고를 하여 이루어지는 일이라고 합니다.)

필수 절차는 이게 끝입니다!

이제는 수업의 방향성을 정하고 커리큘럼을 짜서 공부방을 홍보하는 일이 남았습니다. 어찌 보면 가장 어려운 과정일수도 있겠죠? 1명으로 시작해도 괜찮습니다. 절대 1명으로 끝나지 않을 테니까요. 제가 했던 홍보방법은 뒤에서 소개해드리겠습니다.

자 여기까지 이야기를 해도 공부방 오픈을 망설이는 분들이 계신 건 당연합니다. 아파트를 기준으로 봤을 때 이미 한 개의 동에 공부방이 하나씩은 있을 것이고 신고를 안 하고 운영하는 사람들까지 생각하면 과연 내가 진입할 자리는 있을까? 하지만 시작을 한 개의 동으로 잡아보세요.

"내가 살고 있는 아파트 한 동에서 제일 잘하자.
그다음은 우리 아파트에서 제일 잘하자.
그다음 내가 살고 있는 동네에서 최고의 공부방이 되자"

이렇게 단계적으로 생각하며 공부방을 운영하고 있습니다. 실제로 내가 제일 잘하느냐 그건 아무도 모릅니다. 그저 내가 당장 할 수 있는 일에, 학생들을 대하는데 진심을 다하면 된다고 생각합니다.

그래도 자신이 없다면 타깃 학년의 교재를 사서 직접 풀어보세요. 머릿속으로 아는 것과 실제 수업을 하는 것은 다른 문제입니다. 교재를 보고 내가 이걸 백지상태의 아이에게 설명을 할 수 있을까 생각해보세요. 사실 고등학교만 졸업하면 누구나 수업이 가능해요. 자신이 없는 건 공부를 해서 채우면 됩니다. 그만큼의 노력도 안 할 생각이라면 공부방 창업은 접는 것이 좋습니다. 자신과 학생을 위해서라도 말이에요. 하지만 하려고 하면 방법은 수만 가지가 존재합니다. 간절한 만큼 보이는 법이니까요!

선생님께서 특별히 어려워하는 부분은 온라인에서 티칭 법 교육을 받을 수도 있고 선생님들과 함께 스터디를 운영할 수도 있습니다. 아니면 처음 시작을 프랜차이즈 공부방으로 하는 것도 방법입니다.

프랜차이즈는 지사에서 선생님을 모집하고 그 선생님의 교육까지 담당하고 있습니다. 이미 브랜딩이 되어 있으니 학부모님들께서는 선생님의 역량에 크게 신경 쓰지 않으시고 네임밸류를 믿고 등록을 하십니다. 본사에서 "이 교재로 이렇게 수업하세요!"까지 알려주니 못할 이유가 없습니다. 또한 새 학기에는 현수막과 전단지 광고를 통해 학생도 모집해 줍니다. 대신 한 명의 학생 당 30,000원 전후의 교재비(요즘은 45,000원에서 50,000원까지도 낸다고 합니다)를 매달 내야 합니다.

요즘은 월교재가 아니라 가맹 교재를 1년에 기준 권수 이상으로 사용하기만 해도 되는 프랜차이즈가 늘어나고 있긴 합니다.

스스로 교재를 선택하고 자료를 만들고 숙제를 내주는 게 어려우신 분들은 수수료를 내고 프랜차이즈로 운영을 하시면 됩니다. 저는 시작 당시 최대한 돈을 아껴야 해서 개인 공부방으로 시작을 하게 되었지만 프랜차이즈로 시작하셔서 자리를 잡으신 후에 독립하시는 원장님들도 많이 계십니다.

그것과 별도로 시중에 판매되고 있는 유명 출판사의 수많은 교재의 연구는 필수입니다. 출판사에서는 새 교재가 나오면 나오기 전에 체험단을 모집해서 샘플북을 통해 많은 선생님들의 의견을 받습니다. 그 의견을 반영하여 교재가 수정되는 경우도 많지요.

지금도 저는 출판사에 연구위원을 매년 신청해서 새롭게 나오는 교재를 살펴보는 일을 계속하고 있습니다. 출판사마다 다르지만 위촉장을 보내주는 곳은 개인적으로 더 애착이 가긴 하더라고요. 그 위촉장 또한 제가 열심히 공부방을 운영하고 있다는 스토리가 되어줍니다. 그러니 또 블로그나 SNS의 한 페이지를 채워줄 수 있는 거겠죠?

다른 학원 블로그나 원장님들의 SNS를 보면서 "아! 저런 것도 올려서 공유하면 좋겠구나!"라는 생각을 하곤 합니다. 내 분야에서 이미 잘하고 계신 분들을 꾸준하게 벤치마킹하고 연구하는 건 정말 중요한 일인 것 같습니다. 살짝 바빠지면 소홀해질 수 있는 부분인데 시간이 지날수록 그 중요성을 더 느끼게 되는 것 같아요.

공부방도
사업이다

PART 3

실수한 적이 없는 사람은
결코 어떠한 새로운 시도도 하지 않는다

알버트 아인슈타인

구멍가게를 이마트처럼 운영하는 비결

가까운 지인들이 말했습니다.
"너는 무슨 동네 공부방을 대형 학원처럼 운영하려고 하니?"

그 이유는 사소한 것에도 신경을 쓰는 제 모습 때문이었습니다. 특별한 날마다 이벤트를 하고 칭찬 스티커 제도를 운용하고 작은 선물들을 나눠주는 절 보며 공부방을 취미로 하는 거냐는 남편의 진지한 물음도 있었습니다

입회원서를 쓰고 월마다 손글씨로 진단평가 결과가 다음 달 교육 진행사항들을 써서 보내곤 했었습니다. 한동안 아이들이 많아져서

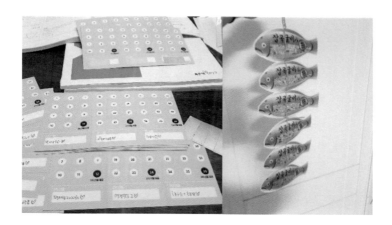

그렇게 보내는 일을 꾸준히 이어오고 있지만 못합니다만 그 과정의 중요성은 제가 직접 경험한 터라 많은 분들께 추천하는 작업이기도 합니다.

아이들도 부모님들도 생각보다 사소한 부분에서 진심을 느끼고 감동을 받으시거든요. 제가 공부방을 하면서 일부러 시간을 내서 하는 일은 처음을 생각하는 일입니다. 한 명의 아이들이 간절했던 그 때의 나를 생각하면 다시 5-10명의 공부방으로 돌아간다고 해도 마찬가지로 운영할 것 같습니다.

교육의 본질:
철저한 서비스업으로

제가 아이들에게 교육비의 일부를 작은 선물로 돌려주는 것은 처음에는 저를 믿고 공부하러 와준 학생과 그 부모님께 감사한 마음 때문이었습니다. 아주 작은 지우개 하나에도 좋아하는 아이들의 표정이, 더 밝게 인사하는 그 모습이 지금의 일을 계속하게 만들어 주었습니다.

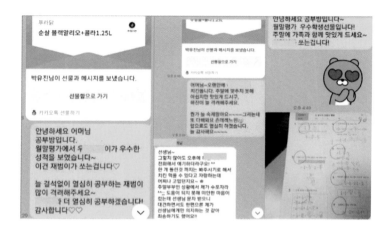

　처음 아이들을 가르치는 일을 했을 때에는 그저 수업만 잘하면 된다고 생각했었지만 제가 하고 있는 일이 교육 서비스업이라는 것을 깨달았습니다. 그리하여 서로가 만족할 만한 서비스를 제공하기 위한 고민도 하면서 계속 노력해왔던 것 같습니다. 그것이 학부모 상담이나 보고서, 이벤트가 될 수도 있겠지만 어떤 것이든 모든 것은 아이들을 위한 것이 되어야 한다고 생각합니다.

기다려지는 이벤트, 나만의 교육전략

전 아이들에게 작은 선물도 틈틈이 주지만 아이들이 특별하다고 느끼는 날에는 이벤트를 챙겨서 하고 있습니다. 어린이날, 복날, 추석, 핼러윈, 빼빼로데이, 크리스마스, 설날 등의 날은 어떻게든 챙기려고 합니다. 복날에 저런 닭 다리 과자를 받으면 아이들의 반응이 어떨까요?

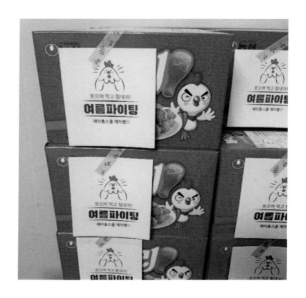

엄청 행복한 웃음을 짓고 집에 갑니다. 말이 없는 학생들도 집에 가서는 엄마한테 신나게 자랑을 해요. 그러고 나면 어머님께 아이가 너무 신기해하고 좋아한다고 연락이 옵니다.

사실은 그게 전부예요. 믿고 보낸 아이가 공부방에 오는 걸 즐거워하고 싫어하지 않는다는 것이 엄마의 입장에서는 상당히 중요한 부분이거든요.

중요한 공부를 하고 가는 건 당연한 부분이에요.
그걸 소홀히 하고 이벤트가 주가 되는 건 당연히 말이 안 됩니다. 학원에 치여서 지내는 아이들을 한순간 웃게 만드는 그 포인트를 찾아내는 것이 중요합니다! 저는 상당히 재미가 없는 사람인데도 불구하고 어떻게 하면 아이들이 좋아하는 걸 찾을 수 있을까 고민을 많이

해요. 요즘 유행하는 것을 제 아이에게 물어보기도 하고요. 돈을 벌기 위해 하는 일임은 분명하지만 그 많은 시간들도 결국은 즐거워야한다고 생각해요. 선생님의 기분과 삶의 태도를 아이들도 그대로 느끼기 때문입니다!

무학년제지만 할 수 있는 작은 이벤트는 아이들의 승부욕을 깨우고 소소한 즐거움을 줍니다. 몽당연필 챌린지의 반응은 어마어마했어요. 그 결과물도 살짝 공개해 드려보자면!

제가 참으로 좋아하는 기분이 좋아지는 귀여운 사진입니다. 저 연필을 쓰려고 공부방에 오자마자 자신의 연필을 찾아서 씁니다. 그러고는 또 언제 하냐며 눈이 반짝반짝해져요.

공부방
마케팅

PART 4

성공은
꿈을 실현하기 위해
항상 깨어있는 사람을 선택한다

로저 밥슨

프랜차이즈와의 차별화 ::
나만의 경쟁력

유명한 프랜차이즈로 시작한 것이 아니라 많은 고민이 있었어요. 보통 선생님의 이력을 한눈에 알 수 없으니 브랜드 네임을 보고 결정하시는 경우가 제일 많거든요. SKY를 졸업한 분들은 그걸 내세워서 광고하시는 분들이 많습니다만 저는 SKY를 졸업하지도 게다가 수학 전공도 아니었기 때문에 다른 걸 내세울 만한 게 없었습니다.

지금도 여전히 그런 부분에 대한 걱정으로 프랜차이즈 가맹을 하시는 분들이 계십니다. 보통은 1-2개의 가맹을 하시고 많게는 3-4개도 하시는 분들도 계십니다. 각각의 단점을 채울만한 아이템을 계속 고민하시기 때문인 것 같아요. 사실 할 수 있는 게 많아진다는 건 제가 사용할 수 있는 무기가 많아지는 것이기에 든든할 것도 같다는 생각이 듭니다. 본사에서 마케팅을 맡아서 해준다는 장점도 있고요. 이건 앞부분에서도 말씀드렸었죠?

그런데 저는 이상한 자신감이 있었어요. 지금 돌아보니 어떻게 그럴 수 있었지?라는 생각도 듭니다. 오랜 시간 동안 꾸준하게 해 온 유일한 일이 바로 '가르치는 일'이었고 아무리 시대와 교육과정이 변했다고 해도 그 원리와 개념이 엄청나게 변하지는 않았을 테니 괜찮을 거라고 생각했었어요. 오히려 저는 고등부 수업을 주로 했었기 때문에 쉽게 이해시키는 수업을 위해 더 많은 공부가 필요했어요.

구구단이 당연하지 않은 아이들을 처음 수업했을 때는 눈앞이 캄
캄했답니다. 더 쉽게 더 기억하기 좋게! 수업을 연구하는 것이 가장
중요했어요. 그냥 더하기 문제도 옆의 사진처럼 카트를 끌고 물건을
사는 것처럼 경험하게 해주는 것이 엄청난 효과를 보이거든요.

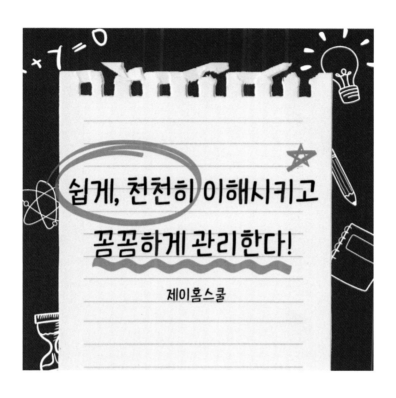

쉽게, 천천히 이해시키고
꼼꼼하게 관리한다!

당연해 보이는 이 2가지가 제가 집중한 포인트였답니다.

출석부 관리/ 진도관리

수업 회차	수업일	수업내용	과제내용	과제 확인
1회차	10/1	6-2응용 p40 - p50 회색퀴즈 2N잉책수파트 훑고가	응용튼라괴과보쿼키 라이른세여산	
2회차	10/4	중1하 기병5형 p11 - p17	6-2서술.노술황.응용 p52-53 (X) 중1하 p.18 - p21° prnt 1단위시8면	
3회차	10/7	숙제ㄷ답처리 중1하진도 (뒤처리앞비)	중1하지도.나2부분 여제.유제13x.B.○ ◦책9h래모기모록	
4회차	10/8	중1하진도 (가동다향도) p36 - 46 숙제ㄷ답처리	6-2응항51-53(○) prnt 2단위시8화+(○) 2단위노술.서술항°개단bwen p32-35(X)	
5회차	10/10	숙제ㄷ답처리. p32-35. p52 - p58. (다각형)	씨1p40-50. p55/ 응p60-63 p59. p60~63	

출석부와 진도, 숙제 관리를 아날로그로 쓰다가 요즘은 시트를 만들어서 사용하지만 저는 손으로 쓰는 게 아직도 가장 좋습니다! 아이도 저도 깜빡할 수 있는 숙제 확인에도 유용합니다.

그런데 이 부분은 선생님들마다 다를 수 있어요. 엑셀을 엄청 잘 다루시는 분들은 디지털로 다 관리하시는데 패드로 시간표, 출석, 숙제 관리까지 철저하게 하시더라고요. 저는 여전히 손으로 영수증 처리 관리까지 사람입니다.

아이패드의 굿노트라는 앱도 다방면으로 사용 가능하니 꼭 한 번씩 사용해 보시고 잘 맞는 걸로 결정하시면 되겠습니다.

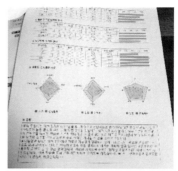

　한 달에 한 번 단원평가를 보고 분석한 성적표와 한 달 동안 열심히 풀었던 프린트물과 교재를 챙겨서 보내드립니다.

　단원평가 결과를 가지고 상담을 하기도 하고 각 학년 1등 친구들이나 눈에 띄는 성과를 보인 친구들에게 치킨 쿠폰을 선물합니다. 보통은 월말에 하지만 가끔은 게릴라 작전처럼 아무 말도 안하고 볼 때도 있어요. 무학년제 공부방은 학년도 다르지만 진도도 다르므로 월말평가도 아이들마다 다른 시험지를 준비해야 하니 준비 시간도 필요한 과정입니다. 보통은 주말이 지나고 처음 오는 날로 맞춰서 준비하는 편이에요. 여유 있는 주말 저녁에 미리 프린트도 싹 다 해놓고요. 왠지 든든한 마음이 들어서 더 좋더라고요.

　　원의 넓이 = 직사각형 넓이를 이해하기 위해 사용한 원 교구입니다. 다시 설명해 보라고 하면서 이해를 제대로 한 건지 확인하는데 교구가 이해하는데 큰 도움이 되었다고 합니다.

　　코로나 전에는 빵이나 귤로 이해시키고 같이 먹고는 했었는데 아쉽습니다. 학년이 올라가면서 교구 사용을 거의 할 일이 없다 보니 작은 거라도 아이들은 너무 좋아하더라고요.

　　원교구 뿐만 아니라 시계와 달력을 공부하는 교구들도 온라인에서는 저렴한 가격으로 판매하고 있습니다. 저도 보일 때마다 사두고 필요할 때 사용하고 있습니다. 여기서 중요한 점은 비싼 교구일 필요가 전혀 없다는 거예요! 집에 있는 계란 판도 10, 15, 30의 가르기/모으기 할 때 요긴하게 쓰입니다,

나만의 특별한 가치,
어떻게 알릴 것인가

1. 게시판 광고 / 직투 / 학교 앞 홍보물품

공부방의 소재지에 따라 조금 다르지만 아파트는 게시판을 많이 사용하고 직투(집집마다 직접 붙이고 다니거나 우편함에 넣은 방식)는 예전에 많이 쓴 방법이지만 요즘은 신고당하는 경우도 많아서 추천드리지는 않습니다. 자석이 붙어있는 미니 전단지를 사용하시는 분들은 아직도 계시더라고요. 테이프로 붙이는 것에 비해 흔적이 남지 않고 제거하기도 편하니 민원이 덜 들어온다고 하시더라고요. 민원의 위험도 감수하는 열정이 필요하네요.

홍보물품 배포는 아이들이나 엄마들을 위한 사은품을 넣어서 전단지와 함께 나눠주는 방식입니다. 간단하게 먹을거리나 필기도구, 종량제 봉투를 많이 사용합니다. 버리지 않고 사용할 물품으로 준비하는 게 좋습니다.

방학 특강이나 공부방의 현재 상황 등을 알리기 위해 게시판을 사용하는 경우가 많은데 여기서도 누구나 만드는 똑같은 전단지라면! 눈에 띄지 않겠죠? 지금 보니 저 당시에 만들었던 전단지는 살짝 부끄럽기는 합니다. 공부방 선생님들을 위한 전단지 멋지게 만들기 특강 등의 계획도 있습니다. 쉽게 제작하는 방법이 많은데 이 부분을 몰라서 못하고 계신 분들도 분명 계실 테니까요.

부록 파트에 필요한 정보들을 담아보겠습니다. 도움 되는 사이트 정보들이니 꼭 하나씩 직접 체크해 보시면 좋을 것 같습니다.

이 블로그 **제이홈스쿨** 카테고리 글

공부방창업컨설팅 그리고 생커수 - 수학파워업 (3)

제이홈스쿨 - 캔바 워크시트 활용하기 (3)

공부방창업 컨설팅 1 : 1 상담해드립니다!! (9)

예천동수학 제이홈스쿨 - 수학이 힘이 되도록! (7)

공부방창업 빙 한칸으로 연봉 0억 만들어보시겠습니까? (13)

<table>
<tr><td style="text-align:center">블로그 신뢰도</td><td style="text-align:center">당신의 지수</td></tr>
<tr><td style="text-align:center">블로그 점수는 최근 1개월간 님의 블로그 활동으로 산정됩니다</td><td style="text-align:center"></td></tr>
<tr><td style="text-align:center">• 59.1</td><td></td></tr>
</table>

2. 온라인 광고 (블로그, SNS, 맘까페)

저는 제 블로그의 주제를 정하지 못해서 다양한 분야의 글을 꾸준히 일단 썼는데요. 오랜 시간 동안 정성스럽게 글을 쓰니 최적 3단계라는 블로그 지수를 얻었습니다. 욕심을 좀 더 내서 네이버 마음에 드는 포스팅을 하는 법을 배웠습니다.

그렇게 되면 같은 키워드로 글을 썼을 때 상위 노출이 된다는 장점이 있습니다. 네이버의 로직은 주기적으로 바뀌기 때문에 이 책을 쓰는 당시와 지금은 달라진 부분이 있을 수 있습니다. 하지만 기본적으로 양질의 글을 써야 하고 중복 사진을 피해야 하는 것은 늘 통하는 부분입니다.

지역 키워드를 넣어서 블로그에 오픈 한 달 전쯤부터 꾸준하게 포스팅을 해 두는 걸 추천드립니다!

예를 들어 천호동에서 수학을 가르치신다면 "천호동 수학"이라는 키워드를 선점하면 유리하겠죠? 보통 어머님들이 학원을 알아보신다면 지금 살고 있는 동네의 과목을 처음 알아보실 테니까요. 그런 다음 학원 이름도 키워드로 넣고 좋은 글들을 써 나가시면 됩니다. 혼자 하기 어렵다면 함께 하는 챌린지 프로그램도 많습니다.

3. 인스타그램 활동

요즘 정말 빼놓을 수 없는 SNS 퍼널입니다. 인스타그램은 아이들과의 수업 모습을 올리기도 하지만 수학 전반에 대한 공부법이나 개념을 정리해서 카드 뉴스 형식의 피드를 올리는 것도 좋습니다! 해시태그에서 지역은 꼭 들어가는 게 좋겠죠?

게다가 인스타그램은 릴스가 대세로 단순 수업 사진보다 짧게라도 릴스를 직접 만들어서 아이들에게 기억하기 쉬운 노래를 불러보게 하는 것도 좋겠습니다!

인스타그램 운영을 잘하고 있는 학원이나 원장님들의 피드를 보면서 연구해 보시는 것도 좋습니다. 우리 공부방만의 시그니처 색상이나 공부 방법 등의 노하우도 함께 실어주면 피드 저장도 늘고 지역 해시태그로 유입도 많아질 것 같습니다!

최고의 홍보는 바로 "입소문"

공부방을 운영하는 몇 년 동안 따로 유료 광고는 하지 않았습니다. 꾸준하게 인스타그램을 운영하고 블로그 포스팅을 하기는 했지만 유료 게시판을 사용하거나 전단지 홍보는 하지 않았습니다.

공부방뿐 아니라 다른 분야도 마찬가지지만 지역성이 있는 사업의 최고 홍보는 바로 '입소문'입니다. 공부방은 그 동네 아이들이 전부예요. 엄청나게 먼 곳에서 오지 않습니다.

길을 건너지 않고 오게 하려고 가까운 곳을 고집하시는 분들도 계십니다. 그리고 지인이 자기 아이를 보내고 있는 곳이라면 일단 1단계 인증은 통과했다고 볼 수 있어요. 그런 다음 본인 기준으로 2단계 검증에 들어갑니다.

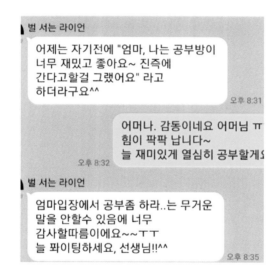

어떤 교재를 쓰는지, 그 공부방에 다니는 아이들은 주변에 없는지를 또 찾아보실 겁니다. 그렇게 나름의 많은 단계를 거친 후에 상담 전화를 하시는데요 그렇게 성사된 상담은 90%의 성공률을 보이고 있습니다.

상담하러 오시는 분들께는 꼭 어떻게 우리 공부방을 알고 연락을 주셨는지를 꼭 체크해야 합니다. 기존 어머님의 소개로 오셨다면 그 어머님께 감사 인사를 드려야 합니다. 보통 커피 쿠폰을 보내드리는 편입니다.

블로그나 인스타그램을 보고 오셨다면 이 방법으로 홍보가 되고 있다는 증거이니 더 열심히 글을 써야겠다는 생각이 들겠죠?

PIVAC THEORY

P 문제해결 – I 상호작용 – V 시각화 – A 응용 – C 개념화

PART 5

내일 죽을 것처럼 살아라
영원히 살 것처럼 공부하라

마하트마 간디

수학 학습은 초등과정에서 매우 중요한 부분입니다. 2022년 개정 교육과정은 미래 사회의 변화에 발맞추어 학생들의 핵심 역량 강화에 중점을 두고 있습니다. 이는 포용적이며 창의적인 사회구성원의 양성을 목표로 하며 자기주도적이고 협력적인 소통 능력을 강조합니다. 이에 따라 공부 방법에도 조금씩 변화가 있어야겠죠?

1. 통합적 접근과 실생활 연계

새로운 교육과정에서는 수학을 일상생활과 밀접하게 연결시키는 것을 강조합니다. 예를 들어, 쇼핑할 때의 가격 계산, 요리할 때의 분량 측정 등 실생활 속에서 수학적 개념을 이해하고 적용하는 활동을 포함시키는 것이 중요합니다. 이러한 방식은 학생들이 수학을 현실 세계와 연결 지어 생각하게 하며, 학습의 흥미를 높일 수 있습니다.

2. 창의적 문제 해결과 수학적 사고 개발

수학적 문제를 해결하는 과정에서 학생들이 다양한 방법을 시도하고 창의적으로 생각하도록 격려하는 것이 중요합니다. 예를 들어, 하나의 수학 문제에 대해 여러 가지 해결 방법을 모색하게 하거나, 문제를 해결하는 과정에서 학생들이 자신만의 방식을 개발할 수 있도록 지도합니다. 이는 학생들이 수학적 사고력을 발전시키고 문제 해결 능력을 키우는 데 도움이 됩니다.

3. 협동 학습과 상호작용 증진

그룹 활동이나 팀 프로젝트를 통해 학생들이 서로 협력하며 수학 문제를 해결하도록 하는 것도 효과적인 학습 방법입니다. 이런 활동은 학생들에게 서로의 생각을 공유하고, 다른 사람의 관점을 이해하며, 협력적으로 문제를 해결하는 경험을 제공합니다. 이는 수학적 개념을 더 깊이 이해하고, 소통 능력을 키우는 데도 도움이 됩니다.

이러한 방법들은 학생들이 수학을 단순한 계산이 아닌, 삶의 일부로 받아들이고 적극적으로 참여하게 하는 데 중점을 두고 있습니다. 따라서 학생들이 수학에 대한 긍정적인 태도를 갖게 하며 학습에 대한 흥미와 동기를 유발하는 데 기여합니다. 그에 발맞춰 학습과정에서 빼놓지 않아야 하는 티칭 포인트를 알려드립니다.

—— PIVAC : Teaching point

P : PROBLEM - SOLVING (문제 해결의 기술)

　수학은 주어진 정보를 이해하고, 주어진 조건에 따라 해결책을 찾
는 과정을 요구합니다. 예를 들어 "두 숫자를 더한 결과가 10 이 되
도록 하는 두 숫자를 찾으세요"와 같은 간단한 문제에도 문제 해결
능력은 필요합니다.

I : INTERACTING (상호작용의 힘)

수학적 아이디어나 해결책을 다른 사람에게 설명하거나, 수업에서 선생님과 함께 문제를 해결하고 동료와 협력하여 공동으로 문제를 해결하는 등의 상호작용이 필수적입니다.

자신의 의견을 말하고 친구들의 의견을 듣는 일 또한 아이들에게 중요한 연습이 됩니다.

V : VISUALIZATION (시각화의 마법)

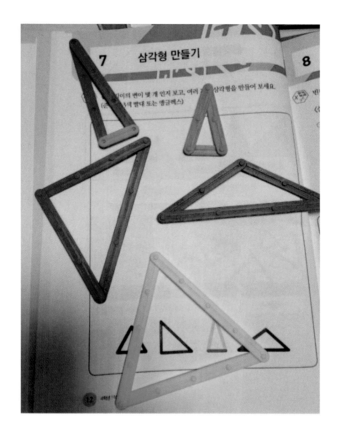

  수학은 종종 시각화를 통해 이해가 잘 되도록 하는데 그것은 수학
개념이나 문제를 시각적으로 나타내고 이해하는 것을 의미합니다.
그래프, 표, 그림, 도형 등을 사용하면 추상적인 아이디어를 더 쉽게
이해하고 해결할 수 있습니다. 함수 그래프나 기하학 도형이 대표적
이라고 볼 수 있죠.

A : APPLICATION (실용적 적용)

수학에서 실용적인 측면이 빠질 수 없습니다. 아이들의 질문 중에 "이걸 배워서 뭐 하나요~"가 빠지지 않는데요. 단순한 덧셈 뺄셈의 이해도 있지만 수학이 과학, 컴퓨터, 이자 계산 등 실생활에 쓰이는 부분에 대한 문제 해결에도 사용된다는 것을 설명해 줍니다.

● 물건 사기 : 돈을 세는 방법, 거스름돈 계산, 가격 비교 등이 해당됩니다.
● 요리 : 레시피를 따라 어떤 재료를 얼마큼의 양으로 사용하는지를 알 수 있습니다

● 시간 관리 : 시간을 관리하는 방법을 배우고 일정을 계획할 수 있습니다. 아이들이 어려워하는 부분 중의 한 영역입니다.

● 길 찾기 : 지도를 사용하여 어떻게 목적지까지 가야 하는지 계획하는 것도 응용입니다. 거리, 방향, 지도의 척도 등도 중요합니다.

● 패턴 인식 : 숫자나 도형의 패턴과 규칙을 찾아서 예측하는 것도 빠질 수 없고요.

이런 실제 생활에서의 적용은 수학은 이론만 있는 것이 아니라 실제 생활에서 문제를 해결하고 결정을 내리는 도구로 사용될 수 있다는 것을 알게 해주는 것이 중요하다고 생각해요.

C : CONCEPTUALITION(개념화의 중요성)

    수학은 추상적인 개념을 이해하고 정의하는데도 중요한 역할을 합니다. 다양한 개념을 또다른 정의들과 연결하고 분류하는 능력이 필요하죠. 초등 과정에서는 수와 양의 차이 (3과 셋의 구별), 도형의 정의와 특성, 분수를 통해 부분과 전체의 개념 등에 대한 내용이 있고, 이러한 개념의 이해는 더 복잡한 문제를 해결하는 데 도움이 됩니다.

PART 6

공부방 운영노하우

월별체크리스트

인생에서 한계는 없습니다
여러분 자신이 만다는 한계만 제외한다면

레스 브라운

Plan - 1년을 운영하면 전체 사이클이 눈에 보인다.

막연하게 초등학생인데 어렵겠어?라는 마음으로 시작했다가는 매일이 당황의 연속일 꺼예요. 초등과정 전체를 제대로 한번 겪으려면 1년을 한 바퀴 돌아봐야 합니다. 1학기, 2학기 전 학년을 돌려봐야 그제야 감이 옵니다. 어떤 식으로 수업을 진행하고 진도를 맞춰야 하는지 말이에요. 어떤 분야든지 시간을 써야 눈에 보이고 내 것이 된다는 말을 실감했습니다.

고등부 위주로만 수업을 하던 제게 초등과정은 어찌 보면 수능 준비보다 더 어려웠던 과정이었습니다. 당연한 걸 이해시켜야 하고 감정적으로도 예민하니 편하게 이 말 저 말 하면서 수업하던 습관을 고쳐야 하기도 했으니까요.

그 경험을 여러분들께 나누면서 시행착오를 줄여드리고자 합니다. 물론 늘 말씀드리듯이 실패와 실수에서도 우린 많은 것을 배웁니다. 하지만 하나의 실수가 꼬리에 꼬리를 물고 우리의 감정을 휘저을 때도 있으니 최대한 실수를 줄이는 연습을 하는 게 좋겠죠?

── Plan 봄

3월 -새 학기가 시작되고 모든 것이 낯설다

이미 아이들은 한 학기, 늦어도 3단원 정도의 진도는 선행을 한 상태입니다. 새 친구들과 선생님은 낯설겠지만 수학적인 부분은 전혀 낯설지 않죠.

1. 진단평가 : 새 학기가 되면 어떤 학년이든 지난 학년의 전범위에 대한 시험을 치릅니다. 이 부분은 3월이 되기 전부터 전 학년의 복습을 통해 미리 준비하는 것이 좋습니다. 학생마다 복습 시기를 다르게 둬도 좋아요. 기초가 탄탄한 친구들은 1-3회 정도의 복습 프린트로도 충분하지만 지난 학년의 복습이 전혀 안된 상태로 방학에 등록한 친구들

은 시간이 좀 더 오래 걸릴 수 있으니 숙제로도 함께 진행해야 합니다.

2. 학부모 상담 : 아이들이 새 학기에 익숙해질 때쯤 2-3주 정도가 지난 후에 학부모님들께 안내 문자를 보냅니다. 새 학년에 대한 부모들의 고충 또한 매우 클 것이니 수고의 말씀과 함께 아이가 혹시 학교생활이나 학업적으로 힘들어하는 부분이 있는지를 묻고 언제든 편하게 상담해달라는 문자를 남기면 큰 문제가 없는 한 대부분의 학부모님들은 따로 연락을 주시지 않아요.

4월 - 학교행사, 중간고사 대비

1. 학교행사 : 학교마다 다르지만 코로나로 하지 못했던 다양한 외부 활동이 시작됩니다. 소풍이나 각종 수련회도 이 달에 대부분 다녀오기 때문에 학업적으로 소홀할 수 있는 부분을 미리 체크해두는 것이 중요해요. 진도상황이 원활한 친구들은 몇 번 수업에 빠지는 것이 학업에 큰 영향을 주지 않지만, 어제 배운 것도 기억하기 힘든 아이들에게는 치명적인 결석입니다. 결석 후 수업에 올 때 아무것도 기억하지 못해도 절대 놀라지 않는 것이 중요합니다. 다시 복습을 해 줄 마음으로 대비해야 합니다.

2. 중간고사 대비: 가장 중요한 일정 중 하나입니다. 물론 초등학생들은 중간고사의 개념은 없습니다. 담임선생님마다 단원평가의 시행 여부도 다를 정도니까요. (여기서 중간고사 대비는 중등 이상에 해당되니 참고해 주세요.) 새 학년 첫 시험이기 때문에 이 시험을 잘 보지 못하면 앞으로의 시간들을 이겨 나갈 힘이 빠진 달까 그건 저도 아이들도 마찬가지입니다. 자신이 노력한 만큼의 결과는 얻어야 다음의 계획이 제대로 이뤄지며 무엇보다 한 번의 시험의 결과로 아이들의 대거 퇴원이 일어나기도 하기 때문이죠.

적응완료 4월
행사와 시험대비

5월 - 가정의 달, 어린이날이 있습니다!

1. 어린이날

선생님들 사이에서 4월 초부터 어떻게 보내야 하냐는 말들이 나오기 시작합니다. 그 과정이 물론 스트레스가 되기도 해요. 무엇을 어떻게 해야 서로 만족도가 높을 것인가!!에 대한 고민이 이어집니다. 물론 따로 챙기는 거 없이 지나가는 공부방도 있겠지만 저는 어린이날은 꼭 챙겨야 하는 날 중 하나라고 생각합니다. 거의 대부분의 큰학원이 어린이날을 최대의 프로모션의 기회로 보기 때문이기도 하지만 아이들 사이에서도 어느 학원에서는 무엇을 했다 무엇을 받았다 등의 이야기를 나누거든요. 결국 챙기지 않으면 아이들에게 실망감을 주는 일이 발생합니다. 공부방은 서비스업이라는 걸 잊지 않으려고 하고 있습니다!

보통 먹는 게 가장 무난하고 많은 아이들을 만족시킵니다. 다양한 간식을 사서 일일이 나눠서 재포장을 한 뒤에 주기도 하고, 공부방 가방을 맞추면서 가방 안에 간식을 넣어서 주기도 했고 중,고등부는 문화상품권을 주는 편입니다. 요즘은 이런 서비스까지 맞춤으로 진행해 주는 곳도 있더라고요. 역시 세상이 변하면 그에 맞춰 공급과 수요도 바뀌는 것이 당연하네요! 가격대에 맞춰서 간식을 포장상자에 넣어서 보내줍니다. 저도 한번 이용한 적이 있는 데 손이 덜 가니 편했고 아이들도 만족했어요.

2. 어버이날과 스승의 날

어버이날도 챙기라는 뜻은 아니고 다만 저학년 수업할 때는 부모님께 카드 쓰기 같은 이벤트를 하고 인증 사진을 보내준 친구들에게 작은 선물(지우개, 각도기 세트 등)을 제공했었습니다. 그리고 스승의 날에 다른 큰 학원 같은 경우는 선물을 일체 받지 않는다는 안내문을 돌리기도 하신다고 합니다. 하지만 저는 기쁘게 작은 선물과 간식을 받았고, 감사하다는 문자를 인증사진과 돌려드렸습니다. 마카롱 같은 간식을 많이 주시는 데 수업 끝날 동안 눈으로 먹느라 아주 혼났습니다.

3. 가정의 달에는 결석이 많은 편입니다. 5월에 학교마다 자율적으로 쉬는 날을 조절하다 보니 길게 쉬는 학교도 많고 가족여행을 많이 가기 때문입니다. 요즘 학부모님들은 개인적인 여행도 환불이나 보강을 원하는 경향이 있습니다. 그러니 보강이 부담스럽다면 원비 차감도 서로 이해하고 처리하기에 깔끔합니다. 이건 선생님의 운영 방침에 맞춰서 진행하시면 됩니다. 저는 단기 결석은 보강으로 주 단위 결석은 원비 차감으로 진행하고 있습니다.

── Plan 여름

　아이들이 맨발로 오기 시작합니다. 그 부분에 대해서는 미리 안내를 해주고 그래도 그냥 오는 아이들은 천으로 된 실내화를 신게 하고 주기적으로 빨아둡니다. 여름에는 에어컨을 켜고 좁은 공간에 함께 있다 보니 여름에 신경 쓰이는 일이 종종 있습니다. 물론 주기적인 환기는 필수로 해줘야 합니다.

6월 - 진도와 기말고사 대비

1. 진도 : 중간고사로 받은 충격도 지나가고 대부분의 행사가 마무리되면서 수업에 집중할 수 있는 시간입니다. 기말고사를 대비하여 진도가 느린 학생들은 타이트하게 숙제를 챙겨가며 끌고 가야 하고 1학기까지의 진도는 무조건 마무리하셔야 합니다.

2. 기말고사 : 시험 대비로 나오는 교재 한 권과 학교별 기출문제, 최다 오답 문제 등을 챙겨서 풉니다. 잘하는 친구들은 학교 선생님들이 틀리라고 내는 문제 대비도 해야 하니 쎈이나 블랙라벨, 최상위 등에서 골라서 풀리기도 합니다.

교재 이야기를 한번 짚고 가자면 개념 교재는 학생들의 실력과 상관없이 난이도가 쉬운 걸로 나가고 있습니다. 그런 다음 풍산자, 체크체크로 반복 연습을 하고 잘하는 친구들은 심화 교재로 바로 진행해요. 연산 교재를 꼭 해야 하냐는 질문을 종종 받는데 연산 교재는 필요한 아이들만 진행하고 있습니다. 기본교재로도 충분히 연습이 가능하기도 하고 연산 교재까지 숙제로 내주면 아이들이 수학을 싫어하게만 만들 뿐입니다. 필요 없다는 게 아니라 양 조절이 필요하다는 뜻이에요. 숙제를 너무 적게 내도 너무 많이 내도 부작용이 있습니다.

그동안 수없이 많은 휴원을 겪으며 지금의 일상이 가능할까라는 불안감이 컸습니다. 휴원을 할 때마다 각종 자료와 간식들을 넣어 준비하면서 지금의 내 일을 붙잡고 유지하기 위해 애썼습니다. 특히나 시험 시간에는 속이 타들어 갔던 경험이 있죠

7월 - 기말고사가 끝나면 열정도 끝이 난다.

1. 기말고사 결과 보고

시험이 끝나면 가장 두려운 시간이 다가옵니다. 하지만 결과는 언제나 예상을 벗어나지 않습니다. 열심히 한 학생이 좋은 결과를 얻는 건 너무 당연한 것인데 자기 자식에 대한 믿음이 큰 것인지 성적이 오르면 아이가 잘한 거고 시험을 못 보면 선생님 탓을 하는 학부모님이 생각보다 많습니다.

그 또한 피할 수 없는 부분이니 있는 그대로 솔직한 피드백을 하고 아이에게 가장 좋은 방향으로 대안을 제시하는 게 방법입니다.

2. 분위기 어쩌지?

시험까지 끝나고 방학만이 남은 상황이니 아이들의 수학에 대한 열정은 바닥이 납니다. 수학에 국한된 이야기는 아니지요. (원래 그리 높지도 않은 게 현실입니다.) 이 시기에는 요령 있게 끌고 가야 합니다. 무학년제로 진행하다 보니 다 같이 할 수 있는 이벤트가 쉽지 않은데요. 보통은 소마큐브를 맞추거나 저학년은 미로를 먼저 맞추기 등 제자리에서 가능한 것들로 진행하는 편입니다.

보통 수업 외에 다른 걸 하지 않는 편이니 이것만 해도 아이들의 눈이 얼마나 반짝반짝하는지 몰라요. 작은 간식거리나 숙제 반사 쿠폰 등을 제공해 줍니다.

3. 보통 학기 중에는 새로운 학생을 받지 않습니다. 신규 학생에게는 그만큼 더 신경을 쓰며 상황 파악을 해야 하는데 기존 아이들이 가득 찬 타임에는 한 아이에게만 더 신경을 쓰기가 어렵기 때문입니다. 그래서 방학을 이용해 신규 등록을 하며 신규 학생은 아이들이 없는 시간을 따로 잡기도 합니다. 상담 시에 이야기를 미리 해 두면 우리 공부방만의 스타일로 자리 잡히며 학부모님들이 신뢰를 할 수 있는 요인으로 만들 수 있습니다.

제가 초반에 학생들을 모집하기 위해 학부모님들이 원하는 걸 다 해준다고 했었는데 (예를 들어 다른 과목도 봐주고 연산 숙제도 봐주고 영어도 좀 추가로 해주고 등등) 결국 한계가 오니 유지가 힘들어지더라고요. 정신이 없으니 제 수업에 대한 스스로의 만족도가 너무 떨어져서 코로나 이후에는 수학전문 공부방이라는 타이틀로 나만의 색을 가져가기로 합니다!

8월 - 여름휴가/ 2학기 대비/ 방학 특강

1. 8월은 보통 공부방 방학이 있습니다. 7월 말 8월 초가 대부분이지만 저는 개학 주간에 방학을 가지는 편입니다. 다들 일과를 다시 시작하는 기간에 쉬며 공부방 교재를 정리하고 가보고 싶던 다른 도시의 명소 등을 다녀오는 정도로 방학을 보내는 편입니다. 제가 공부방을 하면서 가족 여름휴가는 2023년에 처음 가봤네요.

처음에는 방학 숙제도 제본을 해서 꼬박꼬박 나눠주곤 했지만 요즘은 방학이라고 해서 따로 많은 양의 숙제를 내주지는 않습니다. 그들에게도 방학은 마음 편히 놀 수 있는 시간이니 숙제로 스트레스를 주진 않으며 이 부분도 미리 학부모님들께 안내합니다. 요즘은 부모님들도 "아이들도 놀 땐 놀아야죠!"라고 말씀해 주시는 분들이 많습니다.

2. 다음 학기를 대비하는 시기

학생마다 진도가 다 다르기 때문에 이미 2학기 선행이 끝나기도 하고 2년을 앞선 학생도 있지만 평균적인 진도를 이야기하자면 8월에 2학기 진도를 많이 진행해 둡니다. 지난 학기 단원 중에 부족한 부분은 방학 동안에 다시 체크해서 채워가고요. 신규 학생이 있다면 이때 부족한 진도를 나가거나 보충을 합니다.

3. 방학 동안만 할 수 있는 특강 열기

방학 동안만 하는 특강도 오픈하는 시기입니다. 거의 4주 코스로 진행하며 한국사나 수학으로 따지면 분수 특강, 구구단 특강 등 우리 아이들을 위한 특강을 계획합니다. 기존 아이들 위주로 모집하되 신규 모집을 위한 홍보도 함께 하면 좋겠죠?! 기존 학생의 동생들 중에 해당되는 학생이 있으면 학부모님께 미리 안내를 드리는 것도 좋은 방법입니다.

4. 코로나 전에는 생각하지 못했던 부분이지만 공부방을 오픈하고 4-5개월 만에 코로나가 창궐하여 에어컨을 켜고도 환기를 계속 시키

며 수업을 진행합니다. 현재는 세스코에서 공기까지 살균해주는 바이러스 케어 시스템도 설치했어요. 긴장도가 많이 떨어지긴 했지만 어떤 일이 생길지 모르니 늘 대비해야 합니다. 최대한 실내에서도 마스크를 쓰게 유도하고 있으며 마스크도 구비해 두었습니다. 저도 완벽하게 대비하여 코로나를 비껴갔습니다.

—— Plan 가을 - 추석 연휴

9월 - 추석 연휴와 중간고사 대비

　1. 추석 연휴

　개학하고 얼마 지나지 않아 추석연휴가 있는 가을입니다. 추석연휴에도 선물을 준비하는데 이것저것 해보다가 자리를 잡은 건 박스에 들어있는 오색 국수 세트입니다. 국수는 누구나 좋아하고 박스에 들어있어서 아이들에게 따로 쇼핑백을 주지 않아도 들고 가기가 유용하니 공부방 스티커 하나 붙여서 나눠주고 있습니다.

2. 중간고사 대비

한 학기의 첫 시험은 언제나 제일 중요합니다. 한 학기의 흐름을 좌우하기 때문이죠. 초등학생은 상대적으로 이런 시험에 자유롭습니다. 학교의 단원평가는 수업 시간에 선생님 말씀만 들었다면 (수업 시간에 눈을 뜨고 있었다면!) 80점대는 충분히 맞을 수 있도록 출제가 되고 있으니 그 수준으로 선행을 하며 복습을 병행하면 충분히 100점도 가능합니다.

　　PLUS : 중고등학생들에겐 시험 결과에 따라 장학금을 지급하고
있습니다. 100점인 학생과 90점 이상인 학생들을 상대로 현금으로
지급하며 학부모님께 미리 이야기를 합니다.　보상은 스스로 노력하
게 만드는 조금의 원동력이 되니까요! 이렇게까지 하니 열심히 하자
애들아 좀!

10월 - 시험 결과 상담 / 자신감 주기

1. 시험 결과

시험 결과에 따라 상담을 진행해서 원하시는 분들은 오프라인으로 상담을 2시간가량 진행하기도 합니다. 만나서 이야기하면 서로가 더 만족스러운 상담이 되거든요. 기존 학생들을 위해 더 좋은 방법을 생각하고 학부모님과 상의하면 또 다른 방법을 나오기도 합니다. 결국은 아이를 위한 마음이 모아져야 가능한 것 같습니다.

2. 자신감 주기

가끔 큰 학원을 다니다가 공부방으로 오는 친구들이 있습니다.

많은 학생들 사이에서 제대로 된 질문을 하지 못할 정도로 내성적이거나 자신감이 없는 경우가 생각보다 많거든요. 질문을 제대로 하지 못하니 숙제를 제대로 해가지 못하고 점점 뒤처지고 자신감을 잃어가는 것이죠.

제 공부방에서 자신 있게 이야기할 수 있는 것은 자신감을 원 없이 부여해 주는 수업이 가능하다는 것입니다. 물론 거짓말까지 해서 자신감을 주는 것이 아닙니다. 최대한 이 아이가 잘하고 있는 것을 찾아줘야 합니다. 공부를 못하더라도 글씨를 예쁘게 쓸 수 있고 인사를 잘할 수도 있어요. 그 부분을 최대한 살려서 단 너무 지나치다는 느낌이 들지 않도록 칭찬을 해줘야겠죠? 나중에 상담할 때 아이들이 제가 해주는 칭찬이 너무 좋았다는 피드백을 받으면 그게 또 엄청난 힘이 됩니다.

11월 - 기말고사 대비 / 감성홍보

1. 기말고사 대비

시험 대비하다 보면 1년이 빠르게 지나갑니다. 마지막 시험이니 더 열심히 준비를 합니다. 이쯤이면 시험 과정에서 긴장으로 인한 실수는 거의 하지 않아요. 그리고 제일 열심히 준비합니다. 수학전문 공부방이지만 다른 과목에 대한 자료도 아낌없이 제공해 줍니다. 물론 달라고 하는 학생에게만 제공하며 이 부분도 미리 아이와 부모님께 안내합니다. 자기 아이만 안 줬다고 항의하는 학부모님도 계시기 때문인데요. 여기서도 알 수 있듯이 아이들은 사실대로 말하지 않습니다. 자신에게 유리한 대로 말하는 경우가 허다하니 아이가 부모님께 제대로 전달하겠지라고 생각하지 마시고 안내할 부분이 있다면 무조건 부모님께 안내 문자를 보내셔야 합니다.

2. 이건 예상치 못하게 효과가 좋았던 방법인데 코로나나 시험으로 힘들었을 아이들에게 아파트 게시판을 통해 편지를 썼습니다. 내용은 제이홈스쿨 친구들 고생했다. 대견하다. 앞으로도 너희가 좋은 어른으로 성장하도록 선생님이 최선을 다해 돕겠다는 내용에 전화번호도 기재하지 않고 게시했더니 그 편지에 좋은 느낌을 받고 3명의 아이가 추가 입회를 했던 경험이 있습니다. 자주 할 수 없는 이벤트지만 그만큼의 임팩트는 충분했다고 생각합니다. 아직도 상담에 오셔서 그때의 편지를 이야기하시는 분들이 있을 정도입니다.

─── Plan 겨울

한 해의 마무리 그리고 다시 시작 12월

- 크리스마스와 방학

1. 최대의 이벤트

어린이날과 크리스마스에 열과 성을 다하고 있습니다. 많은 아이들이 12월이 되자마자 크리스마스에 뭐 하냐고 질문합니다. 여러 가지 선물들을 준비하기도 하고 코로나 정점으로 수업을 쉴 때도 숙제와 간식을 챙기며 그냥 지나간 적이 없습니다. 작년에는 진짜 하고 싶던 걸 드디어 했는데 바로 케이크 만들기였습니다. 크리스마스의 꽃은 케이크인데 기본 시트와 생크림은 모두 똑같이 제공하며 다른 꾸미기 재료를 게임이나 뽑기판을 통해 가져가는 것이죠. 예쁘게 가족들과 만들어서 사진을 보내주면 가장 예쁜 걸 뽑아서 상품을 주는 이벤트였어요.

아이들이 과연 좋아할까 싶었는데 생각보다 진짜 너무 좋아해 줘서 그만큼의 비용을 쓴 게 전혀 아깝지 않았습니다. 만들고 가고 싶다는 친구들은 자유롭게 만들고 가기도 했는데 그때 여기저기 생크림 범벅이었지만 모처럼 코로나에서 벗어나 신나는 시간을 즐긴 것 같아서 대만족이었습니다.

2. 공부방 방학 - 보통은 12월 마지막 주로 정하거나 여름방학처럼 2월 개학 전주를 방학으로 잡는 편입니다. 미리 1년 치 일정표를 연초에 공유하며 방학은 변동 가능하다고 알려드리니 방학을 언제로 잡느냐에 대해서는 큰 문제가 없습니다.

107

*1년 일정표란?

　매해 1월에 1년 수업 일정표를 미리 체크해서 전달합니다. 주 5일 수업인 경우 한 달 20번, 주 3일의 수업인 경우 12번의 수업이 한 달에 진행되는데 이것이 매달 같지 않아요. 20번이 넘을 수도 있고 12번이 안될 수도 있으니 이해하기 쉽게 색깔로 구분합니다. 그리고 남는 날을 내가 급하게 해야 할 일이 있을 때 떳떳하게 활용할 수 있다. 원비를 낸 만큼의 수업일수에 전혀 지장을 주지 않는다는 것을 알려드리는 목적입니다.

　학부모님이 항의할 만한 부분을 최대한 사전에 공지하는 것이 서로 쓸데없는 감정의 소모를 막는 길이니까요. 그래야 저는 수업에 좀더 집중할 수 있게 됩니다. 생각보다 사소한 감정 소모에 힘이 많이 들거든요.

1월 - 대기해 주시는 학부모 상담 / 학부모 설명회

1. 대기 학생관리

예전에는 보통 3학년부터 수업을 진행했기 때문에 초2 아이들이 대기를 하는 경우가 있습니다. 물론 나중에 연락하면 이미 다른 학원을 보내고 있는 경우도 있기 때문에 대기한다고 이야기하는 모든 학생들이 3학년에 입회한다는 생각을 하고 계시면 안 됩니다. 처음에는 믿고 있다가 혼자 상처받기도 했던 경험이 있어요.

일단 리스트업 해 둔 학부모님들께 안내 문자를 드리고 상담을 원하시는 분들의 회신을 부탁드리고 기다립니다. 보통은 1-2일 내에 연락이 오고 연락이 오지 않는 학부모님들께는 상담의사가 없으신 것 같으니 다른 순서의 대기 학생으로 넘어간다고 확실하게 안내합니다. 1주일이 지나서 깜빡했다고 혹은 문자를 못 봤다고 이야기하시는 분들도 있기 때문입니다.

2. 학부모 설명회

1,2학년 수업을 기획하며 사고력 수학의 도입을 생각했어요. 저학년 아이들에게 주야장천 문제만 풀라고 하면 이 아이들이 수학을 어떻게 생각하게 될 것인지 뻔했기 때문이죠. 조금이라도 수학이 쉽고 재미있길 바라는 마음에 새로운 교재를 찾는 과정을 어머님들께 소개해 드리니 굉장히 흥미로워하셨습니다.

교과 필수사고력이라는 교육목표로 사고력과 교과를 접목한 "생각이 커지는 수학"의 조윤경 대표님이 집필하신 교재를 가맹해서 쓰기 시작했습니다. 키즈 (예비 초등)부터 수업이 가능하고 무턱대고 연산 문제만 풀리는 초등 저학년 교재와는 다르게 미술활동까지 첨가된 도형, 연산, 교과, 사고력, 문제 해결력까지 제가 생각했던 PIVAC 법칙에도 잘 적용할 수 있기 때문에 좋았습니다.

이건 새로운 학생을 모집하지 않고 기존 학생들 중에 1,2학년 동생이 있는 아이의 학부모님께 따로 연락을 드려 의사를 여쭙고 실시했습니다. 작은 공부방의 좋은 점은 학부모님과 좀 더 친밀한 관계가 가능하다는 것이겠죠?

(하지만 주의해야 할 부분은 자주 연락하는 것을 싫어하는 부모님도 계시니 성향을 파악해야 한다는 것입니다. 그저 무난하게 별일 없이 다니는 걸로 만족하는 부모님들도 생각보다 많습니다!)

2월 – 새로운 시작을 응원하며

꽃같은 서현이의
새로운 시작을 응원합니다♡

1. 졸업

  초등부 학생들은 한번 입회하고 특별한 일이 없으면 중학교 입학까지 꾸준하게 공부합니다. 그래서 그 아이들이 졸업을 한다는 것이 정말 내 자식이 졸업하는 것처럼 기특하고 뿌듯하며 언제 이렇게 컸는지 대견하기도 합니다.

  졸업 선물도 따로 준비합니다. 아이 이름이 들어간 응원문구의 드라이플라워, 각인 샤프, 문구류, 문화상품권 등 다양하게 진행해 보고 있습니다. 해마다 인기 있는 상품들이 바뀌기도 하니 잘 살펴보고 다른 선생님들의 경험에 따른 조언을 받아 선택하고 있습니다. 하지만 무엇을 줘도 아이들은 상당히 좋아하니 큰 부담을 가질 필요는 없습니다.

　다른 학원에서는 과자 1개 주는데 5개 세트로 준다고 좋아하는 아이들을 보면 더 주고 싶습니다. 이렇게 쉽게 최고라는 소리를 들을 수 있는 일이 또 있을까 싶기도 합니다.

　올해는 아이들과 영화 관람을 하고 게임존에서 게임도 하고 맛있는 뷔페도 먹었습니다! 보통은 중학교 1학년이 마무리될 때쯤 대형 입시학원으로 이동하는 경우가 가장 많습니다. 아이들에게 공부방은 정말 스쳐가는 그런 장소일 수도 있지만 나중에 이 시간을 돌아봤을 때 기분 좋은 추억이 될 수 있으면 좋겠습니다.

2. 새 학년 준비

새 학년을 맞이하며 아이들이 걱정하는 것은 아직 공부 안 한 진도
가 아니라 이미 공부했지만 내 머릿속에는 남아있지 않은 그것입니
다. 자신 있게 새 학기를 시작할 수 있도록 학생마다 부족한 부분을 채
워주는 작업이 이때 이루어져야 합니다. 기나긴 방학 기간이니 따로
불러서 시키기도 하고 여름방학처럼 특강을 하기도 하지만 새로운 수
업보다 기존의 과정을 복습으로 잘 다지고 가는 것을 추천합니다.

3. 설 선물

설 명절도 저는 꼭 챙기면서 가고 있습니다. 이것저것 시도해 보다가 떡국 떡으로 자리를 잡은 지 4년째입니다.

설날이니 떡국은 어느 집이나 끓여 먹을 테고 저 떡집이 동네에서 인지도도 높고 평가도 좋은 곳이라 어머님들이 좋아하시는 것 같아요. 인터넷에서 언제 만든 지 모르는 저렴한 상품이 아니라 믿고 드신다고 하더라고요. 제 아이의 백일 떡도 이곳에서 했습니다. 올해는 오색떡으로 도전해 볼까 합니다!

제가 소개해 드리는 부분은 100% 제 경험일 뿐이니 정답은 아닙니다. 지역마다 분위기 차이가 있으므로 주변 시장조사를 통해 다양한 시도를 해보시는 걸 추천드립니다!

아이들 문구나 간식 사이트 소개

1. 키즈365 – 소량으로도 구매가 가능합니다. 어린이날 선물이나 달란트 시장 행사시에도 유용합니다.

2. 날쌘거북이 – 포장이 다 되어있는 장점이 있습니다.

3. 퍼줌넷 – 일정갯수 이상 구매가 가능합니다.

4. 드림존 – 장난감 종류가 많은 도매쇼핑몰입니다.

저도 모든 사이트를 다 활용하지는 못했지만 가격 비교해 보고 주
문하는 편입니다. 포장 과정이 번거롭다고 느끼시면 포장되어 있는
것으로 주문하니 편하긴 하더라고요. 선생님들 모두 바쁘시니까!

저는 쿠팡도 할인행사하거나 인기 좋아서 품절된 제품들 갑자기 입고되면 특별한 날이 아니어도 미리 주문해놓기도 합니다. 특히 제가 사랑하는 지우개하고 필기구 종류요. 많은 아이들에게 나눠주려면 작고 저렴한 상품들이 좋습니다. 간단한 간식들도 좋아해요. 하루에도 몇 군데씩 학원을 돌아야 하는 아이들이 늘 피곤하고 배고파하더라고요.

PART 7

공부방 세팅의
A to Z

인생을 살아가는 데는
오직 두 가지 방법밖에 없다

하나는 아무 것도 기적이 아닌 것처럼
다른 하나는 모든 것이 기적인 것처럼
살아가는 것이다

———————

알버트 아인슈타인

공부방을 운영하기 위한 실질적인 절차를 소개해 드렸지만 법적인 절차 말고도 결정해야 할 문제는 아직도 있습니다. 물론 준비하는 분들의 현재 상황에 따라 선택의 영역이 다를 수 있는 부분이지만 몇 가지만 말씀드려보겠습니다.

처음은 공부방 운영의 방식입니다. 앞에서 개인 공부방과 프랜차이즈의 장단점을 말씀드렸는데 그다음의 결정은 동시 강의식인지 개별 관리식인지에 대한 부분이며 인테리어와도 연관성이 있습니다.

또 타깃이 되는 학생의 선택입니다. 자신이 하려고 하는 교육 커리큘럼에 맞춘 학생들을 모집해야 하니 예비초, 초저, 초고, 중등, 고등을 나눠서 특화하는 게 좋습니다.

그리고 교재도 선택하셔야 합니다. 해당 학생이 정해지면 효과적인 수업을 위해 아이들에게 적합한 교재를 골라야 합니다.

뒷장에서 하나씩 살펴보겠습니다.

인
테
리
어
‥
학
습
의
첫
인
상

강의식 VS 개별관리식

　강의식은 보통의 학원 수업방식이라고 할 수 있어요. 같은 진도를
나가는 아이들이 같은 시간에 같은 수업을 듣는 것입니다. 앞에서 강
사가 판서로 수업을 하고요.

개별관리는 앞에서 설명드렸던 무학년제 방식입니다. 서로 다른 학년들이 한 공간에 있다 보니 개념 설명을 나눠서 아이마다 개별로 해줘야 하는 방식입니다. 물론 1시간을 온전히 한 학생에게 쓸 수 없으니 개념과 문제풀이, 숙제 체크의 과정을 중간에 아무것도 안 하고 있는 학생이 없도록 철저하게 관리해야 합니다.

무조건 이 방법이 옳다는 정답은 없어요. 내가 하고자 하는 커리큘럼과 계획에 맞춰서 선택하시면 됩니다. 한 학년씩 묶어서 수업을 하는 강의식이 좋으시면 시간표를 무조건 한 학년으로 만드시면 됩니다. 같은 학년끼리 있으면 할 수 있는 활동이 많아서 수업을 좀 더 다양하고 재미있게 할 수 있다는 장점이 큽니다.

개별관리는 책상도 따로 구분해서 두는 것이 좋고, 독서실 책상처럼 혼자 자습을 하는 공간도 있으면 더 좋습니다. 다 같이 활동을 하는 것은 어렵지만 시간표를 채우는 게 용이한 장점이 있고요. 상황에 맞춰서 장점을 크게 살리시면 됩니다!!

그리고 무조건 필요한 것은 컴퓨터와 복합기, 에어컨 그리고 교재들입니다. 복합기는 요즘에는 대여해서 쓰기도 하시는데 저는 구매해서 충전 잉크를 사용해서 쓰고 있는데 몇 년이 지나도록 고장 한번 나지 않았습니다.

에어컨도 처음엔 돈이 없으니 선풍기를 쓰다가 정 안되면 에어컨을 설치해야겠다 생각했었는데 정말 말도 안 되는 생각이었어요. 에어컨은 정말 필수품입니다. 하지만 겨울에는 상대적으로 난방을 안 틀어도 되더라고요. 아이들이 열정적으로 공부해서 그런가 막 춥거나 하지 않아서 그냥 둡니다. 따뜻하면 조는 아이들이 급격히 늘어나더라고요.

타깃 설정 : 나만의 학생 찾기

공부방을 해보겠다고 결심하신 분들도 처음에 고민하시는 것이 바로 대상 학생입니다.

예비 초등, 초저, 초고, 중등, 고등까지 몇 학년부터 받아야 하냐고 걱정을 하시는 경우가 많은데요.

강사로 일해본 경험이 있으시다면 그 강의의 대상 학년으로 시작하시는 게 가장 좋긴 합니다. 그 과정이 익숙하시니까 일단 수업에 대한 부담이 없으실 테니 엄청난 힘이 되거든요.

강사 경력이 없으시다면 본인이 방법을 연구하면 가르칠 수 있겠다고 느끼시거나 관리를 할 수 있겠다고 생각하는 학생들로 선택하시는 게 좋습니다. 예비 초등 그러니까 6-7세 아이들을 나는 돌볼 수조차 없다고 생각하시는 분들은 처음부터 그 아이들과 수업을 하는 건 당연히 어려우시겠죠?

저는 현재 공부방에서는 예비 초등부터 중학생까지 수업을 하고 있습니다. 20년이 넘게 아이들을 상대해 온 저와는 다르게 처음 수업을 시작하려고 하시면 어려운 점이 많을 거예요. 컨설팅 과정에서 대화를 통해 어떤 학생들과 함께 하시는 게 좋으실지 추천해 드리기도 합니다. 너무 걱정하지 마세요!

—

교재 선택의 전략

이건 어떤 학생을 모집하느냐에 따라 달라지는 부분입니다.

제 입장에서 말씀드리자면 예비 초등은 입학을 앞두고 기본적인 문제읽기와 수의 이해 등이 중요하므로 연산 문제를 많이 풀리는 것보다는 교구를 이용해 스스로 개념을 이해하는 것을 도와줘야 해요. 그래서 손으로 교구도 많이 만지고, 미술시간인가 싶을 만큼 그림도 함께 그리며 수학을 힘든 공부처럼 느끼지 않도록 해주는 것이 가장 중요합니다.

초저까지는 사고력과 병행하여 연산도 놓치지 않도록 도와줍니다. 연산은 수학적인 스킬을 기른다기보다 아이에게 자신감을 주는 도구의 역할을 합니다. 수학적으로도 중요한 역할을 하고요. 중학생인데도 결정적인 순간에 단순 연산에서 틀리는 경우가 허다합니다. 초 3부터는 교과과정도 제대로 챙기면서 사고력 교재와 진도 교재를 함께 쓰고 있으며 필요한 경우 워크시트는 직접 만들어서 과제로 내주고 있습니다. 그리고 서술형 문제를 직접 제대로 쓰게 연습해야 합니다. 나중에 하려면 2-3배는 어렵습니다.

초 5, 6학년은 응용문제까지 해야 중등과정으로 넘어가는 것이 수월하기 때문에 부족한 부분은 방학을 이용해서라도 꼭 채워서 넘어가는 게 좋은데 그때마다 도움이 되는 시중 교재들이 많습니다.

모든 교재를 다 볼 순 없지만 인지도 있는 교재는 거의 사서 보셔야 합니다. 저도 지금은 이벤트 등에 참여해서 최대한 열심히 받아서 보고 있습니다. 교사용도 챙겨두시면 유용합니다.

자주하는 질문

PART 8

지금 이 인생을
다시 한번
완전히 똑같이 살아도
좋다는 마음으로 살라

프리드리히 니체

── 1. 멘탈 관리는 어떻게 하세요?

- 뇌의 리소스 아끼기, 나는 소중하니까!

공부방 일을 그냥 돈을 벌겠다고 시작하면 돈은 벌 수 있지만 금방 지칩니다. 이건 어느 일이나 마찬가지죠. "이 일은 나의 사명이다"라는 거창한 의미까지 가지진 않더라도 내가 최선을 다해 이 아이들에게 좋은 교육을 제공하고 좋은 영향을 줄 수 있도록 노력해야 합니다. 그러기 위해 누군가를 가르치는 사람은 몸과 마음이 건강해야 한다고 생각합니다. 사실 이게 가장 중요하다고 믿습니다.

사춘기인 아이들은 간혹 엄청 화를 부르는 행동을 하기도 해요. 미숙한 어른은 함께 대응하거나 내가 어른이니 이 아이를 이겨야겠다고 생각합니다. 하지만 그것이 능사가 아님을 우리는 이미 알고 있습니다. 이건 제가 부모가 되니 좀 더 다르게 다가오는 부분이기도 하고요.

저도 20대 초반의 어린 나이에 학원 강사 일을 할 때는 얼른 시간이 지나갔으면 좋겠고, 좀 더 멋진 일을 하고 싶었습니다. 근데 결국 저는 이 일을 가장 잘 하는 사람이었고 이 일을 할 때 잠재력을 터뜨릴 수 있는 사람이었던 것이었죠. 그러니 이 일을 더 잘해내고 싶어서 힘든 일이 닥치면 해결 방법을 적극적으로 찾게 되는 사람이 되었습니다.

─── 2. 아이들 숙제나 수업 자료들은 어디서 구하나요?

출판사에서 운영하고 있는 각종 카페를 가입하고 다양한 교재 연구를 신청하여 참가하고 있습니다. 그 중에서 최고는 디딤돌에서 운영하는 "공방"카페입니다. 맨땅에 헤딩하듯 시작한 제 공부방에 가장 큰 힘이 된 곳이 바로 이곳이었습니다. 선생님들을 위한 자료와 오답노트까지 가득합니다. 그 외에도 "기출비"나 "수학모시다"와 같은 기출문제 자료가 빵빵한 네이버 카페가 많아요. 한동안 코로나로 대면 수업이 어려웠을 때는 문제은행이 유행이었습니다. 그 덕에 요즘도 문제은행을 유지하시는 분들이 많습니다.

저도 한 문제은행 사이트에 무료체험 후 가입해서 운영했는데 아이들에게 앱을 깔게 하면 그것을 이용해 숙제도 하고 좋았습니다. 문제를 직접 풀고 채점까지 할 수 있었지요. 하지만 매달 내야 하는 금액이 생각보다 부담스러워서 (15만 원 정도) 몇 달을 쓰다가 구독을 중지한 상태입니다. 언제든 추가 비용 없이 바로 다시 사용할 수 있는 장점이 있습니다.

　회사마다 무료체험이 가능하니 모두 사용해 보시고 비교해 보시면 좋겠습니다. (예를 들어 매쓰홀릭, 매쓰프로, 매쓰플랫 등 많은 서비스가 존재합니다.)

── 3. 내 공부방만의 무기를 어떻게 만들까요?

처음부터 "이게 내 차별성이고 무기야!"라고 할 만한 것을 가지고 계시다면 금상첨화지만 보통은 고민을 많이 하시는 부분입니다. 게다가 개인 공부방이라면 말이에요. 그럴 때 제가 추천하는 방법은 바로 계속 연구하는 것입니다.

내가 가르치고 있는 분야여도 좋고 아니면 전혀 다른 분야여도 좋습니다. 그것이 결국은 제 자산이 되는 것임은 분명하니까요. 선생님의 입장에서 공부를 하면 예전과는 다른 점이 생겨요. 바로 누군가에게 이것을 이해시켜야 한다는 마음을 가지고 보게 되거든요.

조금 이해가 안 가는 부분을 그냥 넘기곤 했던 예전과 다르게 이해를 해야 설명할 수 있으니 더 꼼꼼하게 살펴보는 습관이 자리를 잡게 됩니다.

또 그것이 교재만이 아니라 아이들의 숙제에 대한 연구라면 칭찬 카드를 실행해 보고, 선물을 줘보고 혼을 내보기도 하며 효과가 좋은 걸 선택합니다. 수학뿐만 아니라 출판사에서 시행하는 다양한 교재 연구에 참가해 교재를 받아서 연구가 끝나면 아이들에게 선물로 주기도 합니다만 표지에 거절은 거절한다고 쓰는 건 필수겠죠?! 아이들의 이상한 표정을 보게 되실 겁니다.

[Web발신]
비상교육 〈수학의신〉
교사용교재 체험
이벤트에 우수체험단으로
선정되신 것을
축하드립니다. 앞으로도
비상교육과 수학의 신에
많은 관심 부탁드립니다!
즐거운 주말되세요 :-)

본 교환권은
지류상품권으로 교환 후
사용할 수 있는
교환권입니다(SSG닷컴,
SSG페이 사용불가)

▷상 품 명: 신세계상품권
모바일교환권(10,000원)

고상남 제주GS알클리쉬
고은정 고은정 영어
박시연 애임하이학원
양인성 우리들영어

충 남

Mel쌤 Mel쌤 영어
리 아 위드쿨영수학원
박유진 제이홈스쿨
박희진 박쌤영어
송수아 송수아 영어 교습소
윤현미 오성GnB영어학원
이상민 이앤엠 스터디

[Web발신]
[좋은책신사고]안녕하세요, 선생님
<고등 초빈출영단어> 강사 평가단으로
선정되시어 안내드립니다^^

신간 평가본은 5.11(월)부터
순차 발송 예정입니다.

★평가단 발표 바로가기 : http://
sinsago.kr/M52E

평가본을 받아보시면
교재 내 QR코드를 스캔해
설문 참여 부탁드립니다.

*지역마다 차이는 있으나
평가본을 받아보지 못하신 분들은
아래 연락처로 문의 부탁드립니다.
(고객센터 1661-5590)

〈쎈 중등〉 개정판
교사용 이벤트 당첨을 축하드립니다♥

수학에서 쎈은 선택이 아닌 필수!

교재 이벤트나 체험단은 과목과 상관없이 다 신청해서 참여하고 있습니다. 영어는 원하는 학생들을 상대로 추가 수업으로 진행하고 있는 부분이기도 합니다. 공부를 하다 보면 가르칠 수 있는 자신감도 생깁니다. 그리고 할 수 있는 것이 늘어나면 방학 특강으로 오픈할 수 있는 강의가 늘어나는 좋은 효과도 있습니다!

/ 어느 3평 공부방의 힘

저는 한국사 1급을 따고 아이들에게 한국사 특강을 진행하고 있으며 다른 외국어 공부나 독서하는 모습을 아이들에게 보여주며 노력하는 선생님이라는 이미지를 모든 학부모님과 아이들에게 각인시키고 있습니다.

그 외에도 생각보다 다양한 일들을 진행해야 합니다. 중간중간 대학이나 출판사에서 주최하는 수학 경시대회도 진행하고 수학과 상관없는 분야를 힘들어하면 추가적으로 첨삭지도도 진행했으며 주말에는 아이들 주중에 진행할 테스트 문제도 미리 준비해두기도 하고요.

그리고 저는 레벨테스트를 보지 않습니다.

무학년제인 우리 공부방은 최상위 수학을 개념 문제집 풀듯이 푸는 아이도 있고, 지난 학년의 문제도 기억 못 하는 아이도 있어요. 레벨테스트를 보지 않는 건 레벨테스트로 반을 나누지 않기 때문입니다. 어떤 상황의 아이도 일단 시작하고 대신 학업 분위기를 해쳐서 남에게 피해를 주거나 예의 없는 학생은 한 달을 채우지 않아도 내보내고 있습니다.

그리고 기본사항은 다 지켜야 합니다. 시대적인 특징이 있긴 했지만 오픈하고 6개월도 안되어서 코로나를 겪으면서 말로는 못할 경험들을 했습니다. 저를 둘러싼 모든 것들이 변하는 계기가 된 것이 바로 코로나였어요. 그렇게 제 인생도 그리고 일에 대한 제 마음가짐도 변화의 과정을 겪었습니다. 돌아보니 다행스러운 것은 힘든 일을 겪으면 좋은 일이 따라온다는 것이었어요. 지금의 저는 그때의 저보다 더 제 마음에 드는 자신이 되었으니 제대로 전화위복이구나 생각하고 있습니다.

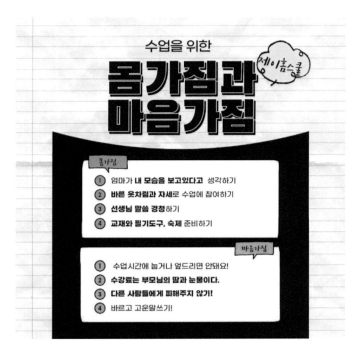

아이들에게 너희가 공부하러 올 수 있는 것은 부모님의 땀과 노력

이 있기 때문이라는 것을 인지시키고 바른 태도와 상호 예의를 지켜야 한다는 것도 빼놓지 않고 가르치고 있습니다.

사춘기 아이로 힘들어하는 부모님이 계시면 따로 만나서 상담도 하며 좋은 방법을 함께 찾기도 합니다.

결국은 그 과정을 통해 아이와 학부모님 그리고 저도 함께 성장을 하고 있더라고요. 아이들에게 지금 시기는 공부 때문만이 아니라 모든 것에 있어서 중요한 시기입니다. 어른의 말 한마디에 아이의 인생 전반에 영향을 끼칠 수 있다는 것을 항상 염두에 두시고 말 한마디, 작은 행동 하나에도 진심과 정성을 다해야 한다는 것을 기억해 주세요!!

8 반대말

밑줄 친 낱말의 반대말을 빈칸에 쓰세요.

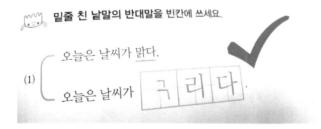

(1) 오늘은 날씨가 맑다.
오늘은 날씨가 [흐] [리] [다].

아이들과 수업을 하면서 제일 힘이 나고 신나는 때가 바로 이런 순간이에요! 이미 새로운 게 없을 만큼 많은 수업을 해왔지만 저렇게 허를 찌르는 답이 나올 때마다 한 번씩 빵빵 터지는데 아우 가끔 위험해요. 너무 웃어서!

그리고 자기표현을 잘 해주는 아이들도 큰 힘이 됩니다. 본인의 간식을 안 먹고 남겨오는 아이들도 있고 나뭇잎도 선물로 들고 와요. 신발 신는 동안 제가 '너만 주는 거야'라면서 지우개 하나만 줘도 얼마나 기분 좋아서 가는지!

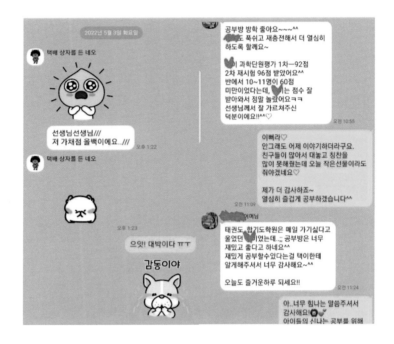

── 4. 원비를 자꾸 밀리는 학부모님은 어떻게 해야 하나?

　운영해 보면 아시겠지만 정말 원비는 밀리는 학생만 밀립니다. 부모님이 정말 바쁘실 수도 있고 깜빡하실 수도 있어요. 그럴 땐 바로 연락하지 않습니다. 보통은 원비 납부 날짜 일주일 후쯤 문자를 먼저 드립니다. 하지만 주말은 피하는 편입니다. 내야 하는 원비지만 주말에 납부 독촉 문자를 받으면 기분이 좋지 않을 수 있으니 최대한 평일 점심쯤으로 맞춰서 예약 문자를 보냅니다.(시간도 애매하게 23분, 37분으로 자연스럽게 맞춥니다)

　대부분은 늦어도 15일 안에 납부해 주시지만 이렇게 문자를 일주일 단위로 보내도 한 달을 건너뛰고 다음 달에 넣는 분도 계십니다. 보통은 늦게라도 납부는 해주시는 편이니 너무 스트레스를 받지 않으시는 것이 좋습니다.

　과감하게 일주일 안에 납부하지 않으면 수업을 이어가겠다는 의지가 없으신 걸로 알고 퇴원 조치하겠다는 학원도 있지만 제게는 그런 대응이 어려워서 막상 실천해 본 적은 없습니다. 하지만 2-3달씩 연체하시는 분들에게는 과감한 결단을 내리셔야 합니다. 가끔 그대로 이사하시는 분도 계시다는 다른 지역 선생님들의 이야기를 들으면 정말 입이 떡 벌어집니다.

　그뿐만이 아니라 정말 다양한 모습의 학부모님들이 존재하지만 지면에 신기에는 무리가 있어서 주로 개인 컨설팅에서 가감 없이 알려드리고 있습니다. 티칭의 경험이 있으신 분들과 대화할 때는 공감할 수 부분이 엄청나게 많더라고요. 서로 박수를 치면서 이야기 하다 보면 스트레스가 풀리기도 합니다. 반면 스스로도 모르게 그런 학부모가 될 수 있으니 늘 신경 쓰고 조심해야겠다고 다짐합니다.

그림에도 한복을 그립니다

나를 파괴시키지 못하는 것은
무엇이든지
나를 강하게 만들 뿐이다

프리드리히 니체

많은 사람들이 제 도전에 회의적이었어요. 초등학생 수업은 예비 중등 정도만 해 봤던 저는 전 교재를 사서 목차를 펴서 학년마다 학기마다 배우는 게 무엇인지 분석해야 했고 다양한 수준의 아이들을 위한 교재를 찾는 것도 쉽지 않았습니다. 이게 맞나? 틀리면 어쩌지? 라는 걱정을 또 하면서 말이죠.

시간이 지날수록 깨닫는 것은 선생님도 자신만의 색깔이 있어야 한다는 것입니다. 나의 기준을 세우고 그 기준은 최대한 지키려고 노력해야 합니다.

다양한 학생만큼 다양한 학부모도 존재합니다. 그분들의 요구에 흔들릴 때마다 결국 저는 선생님이 아닌 "을"이라는 이름을 가진 존재가 되어버리고 맙니다.

나의 수업에 자긍심을 가지고 누군가는 나의 공부방을 동네의 그저 그런 공부방이라고 할지언정 적어도 나는 나의 공부방을 대치동에 있는 어나더 레벨의 학원과 견주어도 부끄럽지 않게 여기고 정성을 다해 운영해야 합니다. 이 마음을 늘 기억하려고 애쓰고 있습니다.

공부방을 운영하며 처음 맞이했던 코로나라는 시련으로 미래에 대한 불안감을 여전히 느끼며 다양한 경험과 배움을 통해 스스로가 할 수 있는 일을 늘려왔습니다. 그래도 든든하게 자리를 지켜왔던 제 본업 덕에 가능한 일이었습니다.

새로운 일을 하고 다양한 분야의 사람들을 만나면서 있는 그대로의 나를 인정하는 법을 배우고, 내 안의 편견을 하나씩 없애가면서 여전히 성장하고 있습니다. 이 나이에 새로운 것을 배우고 처음 해보는 일이 이렇게 많을 줄은 몰랐거든요.

가끔 오프라인 모임에 가면 20대부터 70대까지가 함께 있는 경우가 있는데 그 모습을 보면서 저는 감동하곤 합니다. 자신의 인생과 배움에 열정이 있는 사람들은 굉장한 오픈 마인드를 가지고 있어요. 무엇이든 받아들일 준비가 되어 있는 그들을 보면서 신선한 충격을 받고 반성도 하면서 다시금 내 안에 열정이 불타오르는 것을 느끼고 있습니다.

지금의 삶이 답답하고
이건 내가 원한 삶이 아니라며 힘든 시간을 보내고 있을
누군가의 딸, 아내, 엄마가 아닌 나.
그냥 소중한 나.

그런 나를 찾는 노력을 멈추지 마세요. 혼자가 힘들면 누군가에게 손을 내밀고 함께 하세요. 마냥 괜찮은 사람은 없습니다.
자꾸 나를 어떤 역할에 가둬두지 마시고 한 발만 더 밖으로 움직여 보세요. 나의 우주가 넓어집니다!

이것은 제 첫 책입니다. 아마 나중에 읽어보면 이걸 책이라고 쓴 것이냐며 이불킥을 할 것이 분명하지만 소중하고 위대한 기회임을 압니다. 완전하고 대단한 사람만 자신의 이야기를 하는 것이 아닙니다. 분명히 1명이라도 나의 이야기로 힘을 받을 수 있을테니 그것만 생각하며 최대한 자세히 담아내려 노력했습니다. 전문작가가 아니니 표현과 단어가 어색한 부분이 많을 것이 분명합니다. 부디 넓은 마음으로 이해해 주시길 진심으로 부탁드립니다.

어느덧 2024년 음력설이 지나고 있는 시점입니다.

이 시간에도 집안 일과 아이들의 걱정에서 벗어날 수 있는 엄청난 기회를 주시는 부모님께 감사드립니다. 아빠, 엄마 사랑합니다!! 10대부터 함께해 주고 있는 언제나 든든한 나의 남편 박재호와 바쁜 엄마 덕에 늘 독립적으로 잘 자라주고 있는 시우, 지유 남매에게 제 사랑과 감사함을 전합니다. ITF 세계챔피언 박경진 사범과 소중한 올케와 조카 이루. 제 힘의 원동력인 가족들에게 다시 한번 감사드립니다.

또한 방 한 칸에만 갇혀있던 제게 재미있고 의미있는 세상을 알려주신 타이탄철물점님과 그렇게 배운 기술들로 어떻게 나란 사람을 알리고 비즈니스로 연결할 수 있을지를 여전히 알려주고 계신 플랫

폼트리님 그리고 이렇게 감동적이고 즐거운 경험을 하게 해주신 검정복숭아 어비님께 감사의 말씀을 드리고 싶습니다.

온라인이든 오프라인이든 정말 멋지고 대단한 사람들이 많습니다. 그런 분들을 멀리서 지켜보며 막연하게 부러워하고 저 사람들은 그냥 태생이 다른거야라고 생각하며 스스로에게 비겁한 마음이 늘 있었는데요. 주변의 눈치를 보지 않고 그냥 나에게 집중하고 내가 하고 싶은 것을 할 수 있게 만들어 주신 분들!

제게 두번째 스무살을 열어주셔서 여전히 열심히 새내기처럼 배우고 있습니다. 더 발전하는 모습으로 저 또한 누군가에게 도움이 되고 희망을 함께 하는 사람이 되겠다고 다시 한번 다짐해봅니다. 저를 응원해주시는 모든 분들께 진심으로 감사의 말씀을 드립니다. 모두 파이팅입니다!

구매후기 이벤트

　제 책을 구매해주신 분들 중, 후기를 남겨 주신 분들께 감사한 마음을 담아 소정의 선물을 드립니다.

　블로그나 인스타에 후기를 쓰시고 오픈 채팅이나 블로그 댓글 등으로 URL을 남겨 주시면 됩니다. 여러분들의 SNS 활동이나 사업영역에 도움이 될만한 전자책과 디자인 소스를 선물로 드리겠습니다. 많은 참여 부탁드립니다!!

MORE

수익화라는 말이 넘쳐나고 있지만
막상 나와는 상관없다고 느껴지실 때가 많죠?
어떠한 계기로 인해 나를 둘러싼 생각이 바뀌지 않는다면
기회가 와도 알아보지 못하실거라 생각합니다.
더 나은 앞으로를 함께 하면 좋겠습니다. 감사합니다!

- 유진하다 블로그
https://blog.naver.com/proudgirl

- 아웃풋실행 오픈카톡방
https://open.kakao.com/o/gZ1EwaRf

- 개인문의
https://open.kakao.com/o/sn2lxJje

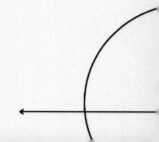